Nous remercions la SODEC
et le Conseil des Arts du Canada
de l'aide accordée à notre programme de publication
ainsi que le gouvernement du Québec
– Programme de crédit d'impôt
pour l'édition de livres
– Gestion SODEC.

Patrimoine canadien | Canadian Heritage

Conseil des Arts du Canada | Canada Council for the Arts

Nous reconnaissons l'aide financière
du gouvernement du Canada
par l'entremise du Fonds du livre du Canada
pour nos activités d'édition.

Illustration de la couverture :
Ève Chabot

Maquette et montage de la couverture :
Grafikar

Édition électronique :
Infographie CompoMagny enr.

Membre de l'Association nationale des éditeurs de livres

Dépôt légal : mai 2014
Bibliothèque nationale du Canada
Bibliothèque nationale du Québec
1234567890 IM 09876543

ISBN 978-2-89633-290-8
11612

Grippette, les malheurs d'un pauvre diable

DU MÊME AUTEUR
AUX ÉDITIONS PIERRE TISSEYRE

Collection Papillon
La folie du docteur Tulp, 2002
(en collaboration avec Marie-Andrée Boucher).

Collection Chacal
La maudite, 1999.
Quand la bête s'éveille, 2001.
Séti, le livre des dieux, tome 1, 2007.
Séti, le rêve d'Alexandre, tome 2, 2007.
Séti, la malédiction du gladiateur, tome 3, 2007.
Séti, l'anneau des géants, tome 4, 2008.
Séti, le temps des loups, tome 5, 2009.
Séti, la guerre des dames, tome 6, 2010.
Séti, la fille du grand Moghol, tome 7, 2011.
Séti, l'homme en noir, tome 8, 2011.
Séti, le maître du temps, tome 9, 2011.

Collection Conquêtes
L'Ankou ou l'ouvrier de la mort, 1996.
Terreur sur la Windigo, 1997
(finaliste au Prix du Gouverneur général 1998).
Ni vous sans moi, ni moi sans vous, 1999
(finaliste au Prix du Gouverneur général 2000).
Siegfried ou L'or maudit des dieux, 2000
(finaliste au prix M. Christie 2001).
Une dette de sang, 2003.
La porte de l'enfer, 2005.
Nuits rouges, 2006
(finaliste au Prix du Gouverneur général 2006).
Émile Nelligan ou l'abîme du rêve, 2006.
Le Poisson d'or et autres histoires de pêche, 2013.

Collection Ethnos
Par le fer et par le feu, 2006.
L'Homme de l'aube, 2007.
Le poison des âmes, 2012.
Le foulard rouge, 2014.

Aux Éditions Hurtubise/HMH (jeunesse)
Le fantôme du rocker, 1992.
Le cosmonaute oublié, 1993.
Anatole le vampire, 1996.
Le chat du père Noé, 2006 (finaliste au prix TFD).

Aux Éditions Soulières
Le fantôme de Boucherville, 2011.

Aux Éditions Triptyque
Le métier d'écrivain au Québec (1840-1900), 1996.
Dictionnaire des pensées politiquement tordues, 1997.

Daniel Mativat

GRIPPETTE, LES MALHEURS D'UN PAUVRE DIABLE

roman

ÉDITIONS PIERRE TISSEYRE
www.tisseyre.ca

155, rue Maurice
Rosemère (Québec) J7A 2S8
Téléphone : 514-335-0777 – Télécopieur : 514-335-6723
Courriel : info@edtisseyre.ca

Catalogage avant publication
de Bibliothèque et Archives nationales du Québec
et Bibliothèque et Archives Canada

Mativat, Daniel, 1944-

Grippette

(Collection Conquêtes ; 146)
Pour les jeunes de 12 à 17 ans.

ISBN 978-2-89633-290-8

I. Titre. II. Collection : Collection Conquêtes ; 146.

PS8576.A828G74 2014 jC843'.54 C2014-940576-6
PS9576.A828G74 2014

I

UN PAUVRE DIABLE

Durant un hiver particulièrement froid, la veille de Noël, alors que j'achevais mon magasinage des Fêtes, j'ai rencontré le Diable devant le métro Berri-UQAM. Il était assis là, jour après jour, les fesses dans la neige. Il n'avait ni cornes, ni sabots de bouc. Il portait la barbe longue, les cheveux hirsutes, un vieux manteau sur le dos et une vieille tuque à pompon sur la tête. Il buvait je ne sais quel alcool frelaté au goulot d'une bouteille cachée dans un sac en papier brun. À ses pieds se trouvait un verre de carton vide et, à chaque passant, il demandait sans conviction :

— Un p'tit trente sous pour manger, m'sieurs, dames!

Rares étaient ceux qui mettaient la main à leur poche. Alors, pour lutter contre le vent glacial qui balayait la rue Sainte-Catherine, l'homme soufflait sur le bout de ses doigts qui sortaient de ses gants troués, puis avalait une nouvelle gorgée de son tord-boyaux en grommelant :

— Allez donc au diable!

Bref, à première vue, rien ne le distinguait vraiment des autres robineux qui hantaient le quartier. Ceci, à un ou deux détails près qui attirèrent mon attention et m'incitèrent à engager la conversation avec lui.

Il y avait d'abord ce chien noir qui se tenait à ses côtés. Un molosse aux yeux rouges qui brillaient dans le noir comme des escarboucles. La bête ne bougeait jamais mais, instinctivement, les passants s'écartaient à sa vue. Ensuite, il y avait le bonhomme lui-même. Il avait beau claquer des dents en subissant les morsures de la froidure, la neige fondait autour de sa personne comme si une mystérieuse chaleur irradiait de lui... Enfin, dernière singularité, tous les bambins innocents qui passaient dans leur poussette devant cet étrange vagabond se mettaient à hurler...

J'avais les bras chargés de paquets de chez Holt Renfrew et je gelais des pieds dans mes souliers Louboutin doublés, mais, intriguée, je ne pus m'empêcher de m'approcher de ce misérable inconnu qui me rappelait une vieille connaissance. Un coup de vent balaya la rue et je relevai le col de mon manteau de fourrure en me penchant pour lui faire l'aumône de toute la monnaie que je pus trouver au fond de mon sac Vuitton.

Au tintement des pièces, il leva la tête et je vis ses yeux. Des yeux jaunes comme de l'or avec des pupilles étroites semblables à celles des chats. Des yeux qui me remplirent d'un indicible malaise.

Ne sachant trop quoi dire, je lui demandai bien innocemment :

— Comment vous appelez-vous? Quel âge avez-vous?

Il me sourit en dévoilant les deux chicots noirs qui garnissaient sa bouche édentée.

— On me nomme Grippette, ma p'tite dame, et j'ai très exactement cinq mille sept cent soixante-quinze ans[1].

— Vous plaisantez!

— Vous ne me croyez pas. Évidemment! C'est pourtant la stricte vérité. Payez-moi un café bien chaud et deux œufs à la diable au resto du coin et je vous raconterai ma triste histoire.

Ainsi, installé au comptoir de la binerie où je l'avais invité, Grippette, tout en savourant les œufs et la pointe de tarte au sucre que je lui avais fait servir en plus de son café bouillant, me convia à m'asseoir près de lui et commença à me faire le récit de sa vie.

---

1. D'après la Bible, la Création remonterait à 3761 ans av. J.-C.

*

Vous n'ôtez pas votre manteau, mademoiselle ? Ôtez au moins vos verres fumés et baissez votre capuchon, je ne vois même pas votre visage que je devine très joli. C'est drôle... Il me semble que je vous ai déjà rencontrée. Non ? Peut-être dans une autre vie alors... À vos yeux, je ne suis qu'un pauvre diable, n'est-ce pas ? Et dans un sens, vous avez raison. Sauf que dans mon cas, il ne s'agit pas d'une simple expression imagée car, même si je n'en ai pas l'air, je suis bien un diable. Un vrai. Vous pensez que je délire... Bien sûr, de nos jours, plus personne ne croit au Diable. Pourtant, il existe bel et bien. D'ailleurs, pour être exact, je devrais dire LES diables. Parce qu'il n'y en a pas qu'un seul. Il en existe des milliers. Plus précisément dix-sept millions cinq cent quatre-vingt mille six cent quarante et un. Bien entendu, Satan est le numéro un. Le grand *boss*. Et, en dessous de lui, il y a les gros bonnets comme Belzébuth, Lucifer, Asmodée, Astaroth. Puis tout en bas, il y a l'armée des diables, diablesses et diablotins sans grade regroupés en six légions de soixante-six cohortes de six cent soixante-six compagnies de six mille six cent soixante-six démons chacune. Le menu fretin des enfers.

Moi, je n'étais encore qu'un modeste diable en bas de l'échelle, chargé d'alimenter les chaudières infernales quand, il y a environ quatre siècles, le grand patron me fit appeler. Inutile de vous dire que j'étais dans mes petits sabots, parce que lorsque le grand Satan vous convoque, ça sent le roussi et ça va chauffer. Évidemment, la première fois que vous le rencontrez, le prince des Ténèbres en impose. Et c'est pareil la centième fois... Tout noir, assis sur son trône de feu, ses immenses ailes déployées, il est là, flanqué de deux dragons qui peuvent vous carboniser à tout instant. En plus, pas facile de discuter avec lui étant donné qu'il a quatre têtes. D'abord, trois soudées au même cou. Une de bélier au centre, une de chat à gauche et une de serpent à droite... Trois têtes qui vous engueulent en même temps. Sans oublier la quatrième que vous ne voyez pas parce qu'il est assis dessus. Car, comme vous l'ignorez sans doute, Satan a son visage le plus horrible à la place du cul. Une face grimaçante qui n'arrête pas de pousser des jurons et des grognements semblables à des pets. Je vous laisse imaginer l'haleine ! Bref, je ne savais quoi répondre à toutes ces têtes qui me parlaient simultanément.

Finalement, j'ai compris que, ce jour-là, Satan ne m'avait pas fait venir pour me reprocher, comme d'habitude, qu'on gelait dans les enfers et me rappeler que si je manquais de bois à enfourner dans mes chaudières, je n'avais qu'à y jeter quelques brassées de damnés bien gras. Non, cette fois, il avait une mission à me confier.

— Mon petit Grippette, qu'il me dit, je sais que tu es un bon diable et que je peux compter sur toi. Or, j'ai un problème... Figure-toi qu'on vient de découvrir une terre au nord de l'Amérique et que je n'ai personne de disponible pour ce nouveau poste. C'est un pays neuf avec une population de rustres et de sauvages... Là-bas, pas de grands seigneurs chouchous du bon Dieu, pas d'intellos avec qui il faut argumenter à n'en plus finir, ni d'érudits dont on peine à pervertir l'esprit... J'ai donc besoin de quelqu'un qui a l'habitude du gros ouvrage. Alors voilà, j'ai pensé à toi.

Le Canada, j'en avais vaguement entendu parler. On disait qu'il faisait si froid là-bas que votre queue et vos oreilles gelaient et cassaient comme du verre. On allait jusqu'à prétendre que les paroles qu'on y prononçait se transformaient également en glaçons au sortir de votre bouche, si bien qu'il fallait attendre le printemps suivant pour qu'elles dégèlent et qu'on entende enfin tout ce qui avait pu se dire au cours de l'hiver.

Comme je ne pipais mot, Satan se fit doucereux :

— Alors, qu'en dis-tu, mon petit Grippette ? me susurrèrent en chœur ses quatre têtes.

Avais-je le choix ?

J'acceptai avec une gratitude feinte et une totale lâcheté.

— Très bien, me remercia le prince des Ténèbres. On m'a informé que des colons se sont déjà établis là-bas dans deux postes perdus : Québec et Montréal. De belles âmes isolées faciles à tenter, mais aussi pas mal d'ivrognes et de trousseurs de jupons. Sans oublier des curés. Plein de curés illuminés qui se sont mis en tête de baptiser tous les Indiens qui peuplent les forêts environnantes. Tu devrais donc pouvoir me faire une belle moisson de damnés.

II

EN MISSION CHEZ LES HURONS

Vers 1623
Si ma mémoire est bonne...

Et c'est ainsi qu'à l'été de l'an de grâce mille six cent vingt-trois, je m'embarquai pour le Canada sur un navire rempli de Filles du roi. Une traversée agréable de deux mois et demi au milieu de toutes ces jolies femmes qui transpiraient à demi nues dans l'entrepont et papotaient en riant. Toutes, elles avaient les joues en feu à force de se raconter ce à quoi elles rêvaient et comment elles imaginaient leur nuit de noces dans les bras de leurs futurs maris qui les attendaient à Québec pour les épouser dès leur arrivée.

J'avais pris, quant à moi, l'apparence d'un jeune mousse beau comme un ange et je jouai, auprès de ces belles, les puceaux timides et rougissants. Cela les rendait à moitié folles. Au moindre prétexte, elles me demandaient de l'aide et en profitaient pour me chatouiller, me frôler lascivement, me serrer la tête contre leur poitrine ou me baiser le front en m'appelant «mon petit chou» ou «mon petit démon à face d'ange».

Bref, avant même que nous soyons en vue de la Nouvelle-France, elles avaient tant péché en gestes et en intentions que, déjà, elles étaient toutes promises aux flammes de l'enfer.

Ce succès facile m'encouragea, mais je dus vite déchanter. À Québec, je n'eus à me mettre sous les griffes que quelques piliers de taverne, quelques gueuses à la cuisse légère, un quarteron de soldats du régiment de Carignan en goguette et un ou deux fonctionnaires véreux... Les autres étaient trop abrutis par le travail et la prière pour songer à pécher. En effet, les hommes passaient leur temps à bûcher et à labourer, ainsi qu'à faire des bébés à leur femme tel que l'exigeaient les curés qui leur tapaient sur la tête à coups de bréviaire au moindre écart de conduite. Évidemment, je ne savais que faire de ces colons décourageants de vertu et de piété, marchant les fesses serrées, toujours fourrés à l'église, à se tremper les doigts dans l'eau bénite et à se signer vingt fois par jour. Résultat : pas le plus petit péché à mettre à leur compte. Je courais au désastre.

Je tentai donc ma chance à Montréal, mais c'était pire encore. Là-bas, je tombai sur de vrais fous de Dieu qui plantaient des croix sur les montagnes et rêvaient de devenir des martyrs à genoux à l'intérieur de leur fortin en attendant que les Indiens les scalpent ou les fassent rôtir à petit feu.

Ah, les Indiens ! Les Sauvages, comme on disait à l'époque. Eux, au moins, me redonnèrent espoir. On les disait féroces, concupiscents, paresseux, menteurs et parés de mille autres vices à vous faire dresser d'horreur les poils de la perruque. Bien sûr, encore fallait-il qu'ils soient baptisés pour que je puisse les inscrire sur ma liste de candidats potentiels à la damnation éternelle. Un détail technique un peu gênant...

Heureusement, un jésuite, le père Gabriel Ségard, partait justement en mission pour le pays des Hurons. Je décidai de l'accompagner. Il me tardait trop de faire la connaissance de ces autochtones si sympathiques, plus cruels et plus vicieux que mille diables. En outre, l'idée de faire succomber par la même occasion un père jésuite avait de quoi me réjouir. En effet, pour un diable, la chute d'un soldat du Seigneur normalement voué à la sainteté ou au martyre a toujours été la promesse assurée d'une montée en grade dans la hiérarchie démoniaque... Qui sait, après un tel exploit, Satan me placerait peut-être à la tête d'une de ses légions avec mon dragon personnel et trois ou quatre démones à mon service exclusif...

Pour parvenir à mes fins je me présentai donc au père Ségard comme un coureur des bois et un interprète revenant de l'Ouest, prêt à le conduire pour quelques pistoles jusqu'à la mer Douce[2]. Bientôt, nous nous enfonçâmes donc dans la forêt à bord d'un fragile canot d'écorce. Très vite, cependant, je constatai que ma tâche risquait de s'avérer plus compliquée que je ne le pensais. En effet, le père Ségard, zélé disciple de Loyola et grand escogriffe au visage émacié et à la barbe courte, marmonnait des prières à longueur de jour. Par ailleurs, il ne buvait que de l'eau, picorait sa nourriture avec un appétit d'oiseau et pratiquait si souvent le jeûne et les mortifications qu'il flottait dans sa robe noire toute rapiécée.

Malgré cela, le père pagayait ferme, porté par sa foi. Et le ciel était toujours bleu. Et l'onde parfaitement calme. Bref, tout allait trop bien à mon goût. Ceci, jusqu'à ce que de minuscules créatures ailées viennent à mon aide. Des nuées d'insectes affamés de sang. Maringouins, brûlots et mouches à chevreuil qui se mirent à bourdonner autour de mon Gabriel, à le harceler, à le piquer partout : autour des yeux, dans les narines, dans le cou, lui arrachant des mordées de chair, le rendant à moitié fou. Un jour, il en eut plein les oreilles jusqu'à en perdre l'ouïe. Il se dressa alors dans le canot et se mit à frapper l'air avec sa pagaie en criant à tue-tête : *Retro, malum creaturae!* Arrière, créatures diaboliques!

Sa volonté faiblissait... Il y avait de l'espoir.

Le lendemain, après une nuit d'insomnie passée au milieu de la boucane dégagée par un feu de branches vertes, le pauvre Gabriel avait le visage si enflé et si couvert de croûtes qu'il me fit penser à mon cousin responsable de la treizième chaudière de l'enfer.

Magnanime, je lui donnai un onguent et il rembarqua dans le canot, mais pagaya avec moins d'ardeur. Ce jour-là, il faillit même se noyer au moins trois fois dans l'eau glacée des rapides. Puis notre frêle esquif s'éventra sur des rochers et, dès que nous l'eûmes réparé, il fallut portager pendant des heures. En chemin, Gabriel joua de nouveau de malchance en

2. Le lac Huron.

se retenant à une tige de sumac vénéneux et en recevant en pleine face une branche qui manqua de l'éborgner.

Enfin, il poussa son premier juron.

Il n'était pourtant qu'au début de son calvaire, car ce n'est qu'après des semaines et des semaines à se faire tremper, à suer le jour, à grelotter de froid la nuit et à essayer en vain de trouver le sommeil malgré les hurlements des loups et le chant rauque des ouaouarons que nous atteignîmes enfin un village huron qui répondait au nom imprononçable de Tequeunonkiaye. Plus précisément, il s'agissait d'une bourgade de quarante maisons longues clôturée d'une double palissade de pieux entrelacés.

Vous auriez dû voir la bobine de mon jésuite quand il fut entouré par tous ces indigènes. Des hommes en costume d'Adam, le crâne en partie rasé, les oreilles décorées de plumes d'oiseau et le corps peint moitié en rouge, moitié en noir. Sans compter tous ces marmots qui s'accrochaient effrontément à sa soutane et ces femmes aux seins nus qui lui tiraient les poils de barbe en gloussant de rire[3].

Ces «enfants de la nature», comme se plaisait à les appeler Gabriel, nous accueillirent avec une curiosité mêlée de respect et de crainte. Du moins au début. C'est-à-dire tant qu'ils furent incertains de la réelle puissance de ce dieu inconnu dont le père Ségard se disait le représentant sur terre.

En attendant, le chef, Kondiarionk, après toutes sortes de salamalecs, s'adressa au père en l'appelant *garihouanne*, ou «grand capitaine», et lui demanda rapidement si Jésus serait assez bon pour faire tomber un peu de pluie afin de sauver les récoltes du village. Hélas, malgré les prières du bon père, le mois suivant, il ne tomba pas une seule goutte et le maïs, les courges et les fèves des champs limitrophes séchèrent sur pied. Un échec que le chef excusa volontiers avant de prier de nouveau son hôte d'intercéder auprès de Dieu afin qu'il lui envoie minimalement un beau gros orignal à cribler de

3. Chez les Amérindiens, le port de la barbe choquait ou semblait ridicule.

flèches. Malheureusement, en dépit de toute la bonne volonté de Gabriel, Kondiarionk revint bredouille de la chasse.

Agacé, ce dernier nous convoqua pour faire le point.

Assis en rond autour du feu, nous dûmes d'abord pétuner[4] en nous passant une pipe de main en main. Habitué aux fumées de l'enfer, je pris plaisir à la chose, qui me rendit d'ailleurs un peu nostalgique. Tel ne fut pas le cas de mon jésuite qui, après avoir inhalé une longue bouffée, se mit à tousser à en cracher ses poumons.

— Qu'est-ce que c'est que cette cochonnerie? me demanda-t-il entre deux quintes de toux.

— Du tabac, lui répondis-je.

Mais il n'était pas au bout de ses peines car, pour ne pas offenser nos hôtes, nous dûmes aussi nous bourrer de haricots et de ragoût à nous en faire éclater la panse. Conséquence : tout le monde se mit à rire et à péter, déclenchant une véritable pestilence digne des fesses de Satan. Encore une fois, Gabriel s'efforça de faire bonne figure et, tout en se pinçant les narines, il déclara en montrant les morceaux de viande qui baignaient dans la graisse au fond de son écuelle :

— Très bon ça malgré l'odeur... C'est quoi?

Le chef cligna des yeux malicieusement et je traduisis sa réponse :

— Il dit que c'est de l'humain... Il n'y a rien de meilleur!

Le père cracha sur-le-champ la bouchée qu'il était en train de mâcher et faillit s'étouffer, provoquant de nouveau l'hilarité générale.

Je traduisis une fois de plus les précisions apportées par le chef.

— Non, il plaisantait... C'est du chien! Rassurez-vous. Il a déjà goûté de la chair d'homme blanc, mais il n'en mange plus. Il la trouve trop salée.

— Il n'est pas sérieux! s'indigna Gabriel.

— Qui sait? Ces Sauvages adorent se moquer. Avec eux, on n'est jamais sûr.

La discussion s'engagea alors sur des questions autrement plus substantielles. Comme Kondiarionk avoua être nettement

4. Fumer.

déçu par les performances du Dieu chrétien, le père entreprit d'expliquer au chef huron et à son conseil de sages les fondements de la religion catholique et de la sainte Église... Le Tout-Puissant, la Sainte-Trinité, l'Immaculée Conception, la crucifixion, l'Eucharistie, le mystère de la transsubstantiation, les vertus du baptême, les dix commandements, le paradis, le purgatoire, l'enfer et Satan, bien entendu. Bref, tout y passa.

Comme de raison, je fis une traduction très libre de tout ce fatras théologique. En fait, je décrivis Dieu comme un vieillard malcommode un peu sénile qui n'aime pas qu'on lui vole ses pommes et menace de noyer tout le monde pour un oui et pour un non. Quant à son fils, Jésus, j'en fis un pauvre fou qui amusait les enfants avec ses tours de magie tout en se montrant si lâche avec ceux qui l'insultaient qu'il tendait l'autre joue quand on le giflait. Les Hurons hochèrent la tête en poussant des soupirs de réprobation qui se transformèrent bientôt en rires lorsque je leur narrai, à ma manière, l'histoire de la Sainte Vierge qui accoucha d'un enfant sans avoir partagé la couche d'un homme. Des rires si bruyants que le père Ségard s'interrompit et crut plus sage de vérifier auprès de moi les causes de cette bonne humeur extrême.

— Vous êtes certain qu'ils comprennent vraiment ce que je leur dis ?

Je lui rétorquai en riant moi-même dans ma barbe :

— C'est, mon père, que dans la langue huronne, il n'existe pas de mots pour la plupart des choses que vous évoquez : péché, concupiscence, damnation... Tout cela coule sur les Indiens comme l'eau sur les plumes des canards dont ils se font des coiffes.

Gabriel en fut ébranlé et se tut pour écouter le sagamo[5] huron qui, après de longs palabres en compagnie des anciens de sa tribu, décida de lui communiquer enfin sa décision quant à l'évangélisation de sa nation.

Bien sûr, il était d'accord pour faire baptiser tout son peuple et se faire lui-même asperger la tête d'eau magique, vu que ça ne pouvait nuire à personne et que cela permettrait d'acheter plus aisément des fusils la prochaine fois qu'ils iraient

5. Grand chef.

échanger leurs peaux en ville[6]. Cependant, pour le reste, il avait quelques doutes, ou à tout le moins demandait qu'on lui éclaircisse certains points.

— Certes, commença-t-il, nous croyons déjà à un Grand Esprit créateur du Soleil, de la Lune et des étoiles. Nous croyons également que la vie n'est qu'un rêve et qu'à notre mort, le père du ciel, Kitchi Manitou, enverra notre âme se reposer au royaume des chasses éternelles, où elle ne connaîtra ni le froid ni la faim, tout comme dans ton jardin d'Éden. Mais comment veux-tu que nous adoptions spécialement ton dieu quand tu nous racontes à son sujet tant d'histoires qui n'ont aucun sens ? Car, dis-moi, en toute honnêteté, qu'est-ce que c'est que ce dieu qui, tel un gamin, ramasse un peu de boue pour fabriquer le premier homme et lui arrache une côte pour en tirer la première femme ? Et quoi de plus absurde que cette grosse colère pour le vol d'une simple pomme ? Tu prétends également que ton dieu est trois personnes à la fois et que le Saint-Esprit est une sorte d'oiseau blanc qui ressemble à un pigeon. Un aigle, un ours, un loup… peut-être, je ne dis pas… Mais un pigeon ? Le genre de petite bête qui nous envoie des fientes sur la tête… Tu ne trouves pas que ça manque de grandeur ? Et que dire de ce fils divin qui naît du ventre d'une vierge ? Quelle femme voudrait d'un tel arrangement ? Et ce Jésus, quelle vie misérable fut la sienne ! Il se laisse arrêter, fouetter et clouer sur une croix au lieu d'empoigner son casse-tête et d'assommer tous ses ennemis comme il se doit. C'est lâche et indigne. Enfin, que penser de son père qui assiste à tout ça du haut du ciel sans broncher plutôt que de déchaîner le tonnerre et faire un beau massacre de tous ces Romains ? Navrant.

Je dus retenir mes rires en traduisant tout cela à mon Gabriel, complètement déprimé…

— À tout prendre, continua le chef volubile, c'est au Diable que nous rendrions hommage plus volontiers. Lui, au moins, est rusé et impitoyable. Il commande des légions de démons qui sèment la terreur. Il vole les âmes de ses ennemis et les

6. Dans certains postes de traite, on exigeait que les Indiens soient baptisés avant de leur vendre des fusils.

envoie griller en enfer. Lui, ne prêche pas l'abstinence comme toi. Il aime les femmes et s'accoupler comme le font tous les êtres en vie sur cette terre. Non, décidément, le Diable est un bien meilleur compagnon que ton dieu et je n'ai nul goût d'aller au paradis. En vérité, je suis sûr que c'est en enfer que je retrouverai plutôt mes amis et tous mes valeureux ancêtres. Voilà, j'ai dit.

À ces mots, Gabriel manqua d'avaler son bréviaire et vira au rouge comme un homard qu'on vient de jeter dans l'eau bouillante.

Malheureusement pour moi, à l'instar de ses confrères missionnaires, le père Ségard, qui avait été aumônier sur les galères et avait passé cinq années en captivité chez les Barbaresques[7], n'était pas homme à renoncer si facilement. Aussi, voyant qu'il n'avait aucune chance de convertir le chef, les guerriers et encore moins le sorcier de la tribu, il décida d'assurer au moins le salut des femmes et des enfants qu'il jugeait plus faciles à amener au bon Dieu.

Mal lui en prit.

Pour mener à bien son entreprise, il commença par construire, à l'écart du village, une chapelle de rondins au clocher de laquelle il suspendit une menue cloche qu'il bricola lui-même à l'aide d'un gobelet d'argent tiré de son attirail d'objets sacrés. Les tintements de celle-ci attirèrent évidemment des hordes de ti-culs qu'il baptisa en échange de bonbons confectionnés avec du sirop d'érable. Aux femmes, venues elles aussi en curieuses, il fit cadeau de petites croix et de chapelets à boules de verre dont elles se parèrent avec beaucoup de joie.

Le calcul fut payant. Bientôt, à ma grande déception, son église fut pleine d'une foule bruyante de matrones, de jeunes squaws et de gamins turbulents. Ces derniers, cependant, étaient pour la plupart de francs chenapans livrés entièrement à eux-mêmes. Je n'eus donc aucun mal à encourager leur penchant naturel pour semer le chaos, comme le ferait un

7. Nom donné à l'époque aux Marocains et aux Algériens qui pratiquaient volontiers la piraterie et mettaient en esclavage les chrétiens qu'ils capturaient.

oncle facétieux avec ses coquins de neveux. D'abord, ils trouvèrent très drôles de tirer la cloche pendant des heures et de brailler des prières, mains jointes, en échange d'une hostie qu'ils avalaient goulûment comme une friandise. Gabriel tenta bien d'en profiter pour les baptiser à la chaîne, mais il ne tarda pas à s'en repentir car, rapidement, ces sauvageons s'enhardirent et menèrent un tel chahut que le pauvre jésuite en devint presque fou. Ils lui burent son vin de messe. Ils lui déchirèrent son journal. Ils lui volèrent presque tous ses instruments liturgiques et se disputèrent ses chandelles qu'ils croquaient à belles dents comme s'il s'agissait de délicieuses confiseries.

À l'approche de Noël, ce fut pire encore et ils ne respectèrent plus rien. Les grands n'hésitèrent pas à utiliser comme cible le crucifix pendu au-dessus de l'autel pour s'entraîner au tir à l'arc. Les petits, quant à eux, pour peu qu'il pleuve ou qu'il neige, prirent l'habitude de venir pisser ou déféquer dans la chapelle. Bref, ces diablotins abusèrent tant de la patience du père qu'il finit par faire une sainte colère et les chassa de son église à coups de goupillon, tout en les aspergeant d'eau bénite.

— Dehors, tas de salopiaux ! Allez au diable ! Et que je ne vous voie plus !

Cette nouvelle défaite, bien sûr, affecta Gabriel au plus haut point et c'est avec un zèle décuplé, qui ressemblait à du désespoir, qu'il se tourna pour son malheur vers les femmes de la bande.

Il faut dire que, malgré sa barbe et ses cheveux frisés, elles le trouvaient bel homme, ce visage pâle. Très exotique. Elles commencèrent donc, elles aussi, par se bousculer pour recevoir le sacrement du baptême et écouter les sermons du père.

Le premier porta sur la pudeur et je fus de nouveau chargé de jouer les interprètes.

— Dis-leur que, dans la maison du Seigneur, on ne se présente pas ainsi, la poitrine dénudée.

Je leur traduisis cette remarque. Elles éclatèrent de rire et jamais vous ne devinerez ce que firent ces mutines ! Eh bien, je vous le donne en mille : elles soulevèrent toutes leurs pagnes de peau pour se dissimuler les tétons et, comme elles ne portaient rien dessous, elles exhibèrent du même coup leur «intimité la plus intime». Ah! Vous auriez dû voir la tronche de mon bon père! Je crus que, cette fois, il allait mourir drette là d'une crise d'apoplexie. Mais il n'en fit rien. Au contraire, il demeura immobile, les yeux exorbités, le souffle court, les paupières battantes et un filet de bave au coin de la bouche...

Ce fut son coup de grâce.

Dès lors, à mon grand étonnement tout autant qu'à ma pleine satisfaction, le prêcheur austère se transforma instantanément en satyre avide de chair fraîche. Les femmes, d'ailleurs, ne s'y trompèrent pas et, effrayées par ce brusque changement, elles se sauvèrent en poussant des petits cris effarouchés qui ne firent qu'exciter davantage mon Gabriel, lequel retroussa sa soutane pour mieux poursuivre ses proies jusqu'au fond des buissons. Il en revint échevelé, sa robe déchirée, le cou marqué de suçons et le corps couvert de griffures amoureuses.

Je fis semblant d'être offusqué:

— Mon père, voyons, qu'avez-vous fait?

— Je sais, je suis un misérable! sanglota le jésuite qui, pour se punir, cassa une branche d'épinette et s'en fouetta jusqu'au sang avant d'aller se jeter tout nu dans les eaux glacées du lac le plus proche.

Vaine tentative pour calmer l'ardeur de ses désirs charnels car, le soir même, à mon grand plaisir, je le retrouvai dans les bras d'une jeune Huronne belle à faire damner le pape et toute la curie romaine.

Comme de raison, le lendemain, en bon pécheur pétri de remords, il se frappait de nouveau la poitrine et les reins, jurant ses grands dieux qu'il allait redevenir chaste. Mais dès qu'une beauté des bois aux longues nattes et aux joues tatouées coulait vers lui un regard langoureux, il oubliait ses résolutions et se roulait encore une fois dans la luxure avec des grognements et des couinements de jouissance ahurissants.

Cela dura tout l'hiver et cela aurait pu durer encore plus longtemps. Toutefois, les hommes du village finirent par voir d'un mauvais œil toutes ces jeunes femmes au ventre arrondi qui, très certainement, mettraient au monde autant de petits visages pâles une fois l'été venu. Certes, les Hurons ne connaissaient pas la jalousie, mais personne n'avait envie de chasser jour et nuit pour nourrir la descendance du jésuite.

Par ailleurs, le village tomba bientôt victime d'une mystérieuse maladie qui commença par affliger celles qui avaient batifolé avec le père Ségard. De fortes fièvres. Des boutons plein le corps. Un mal qui empira à la vitesse de l'éclair et gagna rapidement tout le village et les villages voisins… Une affection que je connaissais très bien : la petite vérole, le mal européen…

Gabriel ne fût pas tout de suite considéré comme le grand responsable de ce fléau. Au contraire, dans un premier temps, face à la contagion galopante, le nombre de candidats au baptême grimpa en flèche et la chapelle fut de nouveau remplie à craquer de fidèles pleins de ferveur suppliant le nouveau dieu de les épargner… Mais c'était peine perdue. Des enfants moururent. Et quand le fils de Kondiarionk fut atteint à son tour, le chef convoqua son hôte à présent indésirable.

— D'abord, lui dit-il, j'ai décidé d'interdire à nos femmes de coucher avec toi et je ferai couper le nez à celles qui oseront te tourner autour. Quant à toi, robe noire, il est temps que tu nous montres le pouvoir de ton dieu. Guéris mon fils. Si tu réussis, nous nous ferons tous chrétiens, moi en premier. Si tu échoues, je t'écorcherai vivant et je te ferai brûler à petit feu.

Le père, croyant être ainsi puni pour ses égarements, pria nuit et jour, se mortifia, sanglota, implora le Seigneur. Malheureusement pour lui, les Hurons continuèrent de tomber comme des mouches que je n'avais plus qu'à gober.

Chaque jour, en effet, je comptais les âmes que j'envoyais à mon patron. La récolte promettait d'être au-delà de mes espérances. D'autant plus que la mort qui rôdait avait bien changé mes braves autochtones. Comme plus personne ne chassait ni ne pêchait, la famine se mit à sévir. On s'entretuait pour un épi de maïs et, pour couronner le tout, quelqu'un (devinez qui ?) eut l'idée diabolique de distribuer aux survivants, en guise de consolation, des cruchons d'eau-de-vie qui achevèrent de semer la discorde parmi ce peuple qui, hier encore, vivait en harmonie. Ce fut proprement une orgie de sang et, quand le fils de Kondiarionk s'éteignit, les derniers guerriers, ivres morts, allumèrent un grand feu autour duquel ils dansèrent en frappant du pied et en psalmodiant leurs ho-ho-ho lancinants. C'est bien simple, on se serait cru en enfer et je dus me retenir de danser avec eux.

C'est alors que je vis le père Ségard, amaigri, l'air effaré. Il dut avoir la même impression que moi. C'est ce qui, sans doute, le poussa à se jeter lui-même dans les flammes, tant et si bien que lorsqu'il arriva pour de vrai dans le royaume du feu éternel, croyez-moi, il ne dut pas voir la différence.

Quand j'y repense, c'était vraiment le bon temps !

III

UN SI JOLI BRIN DE FILLE

Autour de 1650-1763
Avec le temps, je perds des bouts…

En expédiant aux enfers toute une tribu de Hurons avec son évangélisateur en tête, je m'étais imaginé que le patron serait plus que satisfait et m'accorderait peut-être de l'avancement, voire un rapatriement loin de ces terres vierges et glacées du Canada où j'espérais ne pas user mes sabots trop longtemps.

Quelle ne fut pas ma surprise quand je reçus une lettre de Satan en personne ! Il était furieux. Des Indiens, il en avait à la pelle. L'enfer en était rempli depuis que les Espagnols avaient décidé de convertir la population du Mexique et du Pérou à coups d'épée et d'arquebuse. Or, ces Indiens, qui avaient été réduits en esclavage et qui avaient tellement souffert dans les mines d'argent et les champs de canne à sucre de leurs maîtres, adoraient l'enfer. Il y faisait chaud. Ils n'avaient plus à trimer comme des bêtes. Quant aux tortures, ils étaient si habitués au fouet et au fer rouge qu'elles ne les dérangeaient même pas. Heureusement pour moi, Gabriel demeurait une bonne prise. Mais justement, Satan en voulait davantage…

Aussi, il m'expliqua :

— Je veux du nouveau, mon Grippette, de la perle rare. Il doit bien y avoir dans cette colonie des âmes pures à corrompre. Secoue-toi. Au lieu de hanter les tavernes et les bordels, fréquente les couvents, écoute ce qui se chuchote dans les confessionnaux, cache-toi sous les lits dans les alcôves... Un peu d'imagination, que diable!

*

Je décidai donc de frapper un grand coup. De semer une bonne frayeur au sein de cette Nouvelle-France qui rêvait de devenir une nouvelle Jérusalem. Il fallait que ses habitants s'aperçoivent que j'étais bien là, tel le loup dans la bergerie. Il fallait qu'on me redoute, qu'on me respecte, que chacun me voie dans sa soupe. Or, quoi de mieux qu'un bon gros cataclysme pour semer la panique et troubler les consciences? J'aurais bien aimé une éruption volcanique dévastatrice mais, faute de volcan sous la main, je choisis de déchaîner un gros tremblement de terre accompagné d'éclairs et de grondements de tonnerre terrifiants qui secoua le pays de Tadoussac à Québec[8]. Malheureusement, celui-ci ne tua pas grand monde, même s'il provoqua une belle épouvante. Pire encore, les curés eurent le culot de récupérer l'événement en prétendant que c'était là un avertissement du ciel afin de décourager les mauvais esprits qui seraient tentés de s'écarter du troupeau et de jeter leur tuque par-dessus les moulins.

En fait, seules quelques religieuses reconnurent là mon œuvre. Une ursuline en particulier, Marie de l'Incarnation, témoigna qu'elle m'avait vu en train de soulever et de brasser la ville de Québec comme un vieux tapis. Mais celle sur qui je fis la plus forte impression fut sans aucun doute une sœur hospitalière du nom de Catherine de Saint- Augustin. Une fois le séisme passé, elle se mit à me voir partout. La nuit, à ses dires, je me faufilais en tapinois dans sa cellule, je secouais son lit et la faisais rêver à des «choses». Le jour, je lui apparaissais en pleine messe sous la forme d'un crapaud caché sous son banc et la forçais à proférer à voix haute des jurons orduriers. Elle avait beau se confesser, appeler à son secours la Sainte Vierge, saint Joseph, saint Pierre, saint Simon apôtre, saint

8. Ce tremblement de terre, ou «terre-tremble», eut réellement lieu en 1663.

Augustin, saint Polycarpe et sainte Catherine ; elle avait beau se mettre toute nue et se flageller, je continuais de lui inspirer des pensées impures.

Ce fut une sorte de consolation. Celle-là, au moins, finirait sans aucun doute bien au chaud dans le Tartare[9]. Mais serait-ce suffisant pour satisfaire les attentes de mon patron ? J'en doutais.

Bien sûr, j'aurais aimé dénicher parmi ces Canadiens un peu rustauds des gens respectés et respectables qui se seraient révélés être de grands massacreurs à la Attila, des tueurs d'enfants tel Gilles de Rais, des empoisonneuses comme La Voisin, des possédés du Malin comme Urbain Grandier... Malheureusement, je dus me contenter de jeteux de sorts de village. Et impossible de signer avec eux des pactes de sang ou de célébrer des messes noires. Pas plus que je n'arrivais, au cours de sabbats endiablés, à me faire baiser le derrière par des centaines de jolies sorcières venues à vol de balai. Non... En vérité, je ne réussis qu'à réunir quelques apprentis sorciers et à organiser, à la lueur des flambeaux, des rondes nocturnes autour de l'île d'Orléans. À peine de quoi effrayer les riverains de Beauport et de Bellechasse... Et savez-vous de quels crimes ces sorciers en herbe s'enorgueillissaient quand, vers minuit, arrivait le temps de me rendre hommage ? Totalement décourageant...

L'un s'avançait fièrement et clamait :

— Moi, j'ai fait tourner le lait des vaches et rancir le lard de mon voisin que j'haïs.

Un autre renchérissait en me lançant des clins d'œil complices :

— Moi, mon maître, je me suis vengé de Ti-Jean La Nouette qui m'a soufflé ma blonde. J'ai volé un de ses souliers et j'en ai noué les lacets le soir de ses noces. Ça a dû la lui couper bin net. Vous savez de quoi j'causions, hein[10] ?

---

9. Nom de la région des enfers où étaient châtiés les grands coupables selon la mythologie gréco-romaine.

10. Cette opération de magie noire, populaire dans les campagnes, s'appelait le « nouage d'aiguillettes » et était supposée rendre impuissant celui qui en était la victime.

Un autre voulait que je lui achète sa poule noire contre une somme mirobolante[11].

Un autre que je lui révèle comment s'emparer de la marmite magique pleine d'or qui était supposément enterrée dans son champ.

Un autre encore était tout content d'avoir inventé l'herbe à puce. Un autre, à moitié saoul, m'achalait pour que je lui dévoile la formule permettant de se transformer en chat noir ou en carcajou, histoire d'effrayer ses compagnons de beuverie.

Ce manque d'envergure dans la pratique du Mal me désolait et j'en vins à me dire que, décidément, ce peuple pensait petit. C'est du moins ce que je crus jusqu'à ce que je LA rencontre !

On était aux lendemains de la Conquête. Écrasée par les bombes anglaises, la ville de Québec était en ruine. Nombre de fermes et de villages de la côte avaient été incendiés. Je n'étais pas mécontent du travail accompli par ce général Wolfe. La guerre est toujours une aubaine pour le Diable, et celle-ci ne dérogea pas à la règle. Si bien qu'en six ans[12] j'envoyai en enfer des régiments entiers au son des roulements de tambour et des trilles des joueurs de fifre.

Pour ne rien manquer du spectacle, j'avais d'ailleurs moi-même revêtu l'habit rouge, très seyant, des soldats britanniques. Et c'est dans l'uniforme d'un lieutenant des armées de Sa Majesté que je LA vis pour la première fois. Cela se passait à Saint-Vallier. Elle avait dans les trente ans et en paraissait dix-huit. Elle s'appelait Marie-Josephte Corriveau. Une chevelure de feu. Des yeux de braise. Belle à faire pendre ou à être pendue et, surtout, délurée à souhait. Presque aussi jolie que vous, ma p'tite dame. En plus sauvageonne et en moins poudrée, soit dit sans vous offenser. Bref, une vraie

---

11. La vente de la poule noire est un autre rite de sorcellerie. Elle consiste à se placer à minuit à un carrefour, jambes écartées, et à invoquer le Diable en lui tendant une poule noire. Le démon passe alors entre les jambes du sorcier, s'empare de la poule et laisse à la place un sac d'or ou enrichit l'homme qui l'a appelé.
12. La troisième guerre du XVIIIe siècle opposant Français et Anglais dura de 1754 à 1760.

petite sorcière. Du moins, c'est ce que répétaient les hommes qu'elle aguichait et les honnêtes femmes qu'elle scandalisait. Car, voyez-vous, la belle n'hésitait pas à côtoyer l'ennemi anglais de près, de très, très près...

Ah, la v'limeuse! Elle ne manquait pas de front! Dès qu'elle me vit dans mon beau costume rouge, elle vint effrontément se frotter contre moi pour me faire mille chatteries en roulant des hanches et en me lançant des œillades coquines.

— Bonjour, joli lieutenant, t'ennuies-tu? Si oui, je connais un endroit où, pour quelques chelins, tu oublieras jusqu'au nom de ton roi et pourquoi tu es venu te battre si loin de chez toi.

J'appris qu'elle avait été mariée à seize ans et était tombée veuve presque aussitôt. De quoi était mort son époux? Des fièvres, comme on l'avait d'abord cru? Ou l'avait-elle empoisonné comme le murmuraient certaines mauvaises langues? Était-ce la vérité? Même si je le savais, je ne vous le dirais pas. Une chose était évidente aux yeux de tous: elle s'était bien vite remariée, un peu trop vite selon certains, même si ses secondes noces n'étaient pas des plus heureuses.

En effet, quand je la rencontrais à l'auberge, elle avait souvent un œil au beurre noir. Elle pleurait et, pour me prouver à quel point son Didier était une brute, elle troussait sa jupe sans pudeur pour exhiber les bleus qui marquaient sa cuisse ou se dénudait l'épaule afin de me montrer son sein égratigné.

— C'est un monstre, mon beau lieutenant! Il me bat. Il finira par me tuer. Quand il est ivre, il me jette sur le lit où il me fait subir des cochoncetés que je ne pourrais pas vous confesser sans rougir de honte. En un mot: il a le diable au corps. Toi, tu n'es pas comme lui. Tu as les mains douces et tu sais parler aux filles...

Je lui rendais ses caresses. Je lui soufflais des grivoiseries dans l'oreille. Elle se trémoussait de plaisir. Je l'embrassais dans le cou. Je lui faisais des papouilles. Elle retrouvait finalement sa bonne humeur.

— Arrêtez, vous me rendez folle!

J'en profitais alors pour lui glisser de mauvais conseils:

— Défends-toi, ma belle! Tu sais, il y a mille manières de se débarrasser d'un mari gênant...

Elle revint me trouver trois jours plus tard. Elle avait du sang sur sa camisole et son jupon.

— J'ai fait comme tu m'as dit, m'avoua-t-elle fièrement. Je l'ai tué. Il était saoul. Il m'a cognée et m'a encore tripotée avec ses mains sales avant de s'endormir sur moi. Alors, je l'ai poussé de côté. J'ai pris la hache pour le petit bois et BANG! Un bon coup sur le crâne. Le maudit, il a pissé le sang partout. Il a sali les draps et j'ai dû torcher le plancher. Mais tu avais raison: ça fait diablement du bien. Tu veux le voir?

J'en restai ébahi. Quelle candeur dans le mal!

Je la suivis donc chez elle. Son gros porc de mari était bien là, la hache encore plantée en travers de la tête alors que son âme brûlait déjà en enfer.

La Corriveau me demanda de l'aider à traîner le cadavre jusqu'à l'écurie. Le bonhomme pesait lourd en diable et son corps laissa une grande trace sanglante dans la neige.

— Nous le déposerons entre les pattes du joual[13], m'expliqua-t-elle. On croira qu'il cuvait couché sur la paille et qu'il a reçu une bonne ruade qui lui a fendu le crâne.

Je doutais fort que cette explication réussisse à berner les autorités militaires chargées d'instruire les affaires criminelles et encore moins le petit peuple prompt à condamner sans procès les trop jolies jeunes filles soupçonnées de courir la galipote. J'avais vu juste. Le lendemain de la découverte du corps, la rumeur circulait déjà dans Saint-Vallier: «Elle l'a tué! C'est rien qu'une gourgandine qui fricote avec les habits rouges! À mort! À mort, la putain!» Une rumeur qui, bien sûr, se transforma en certitude lorsque le médecin de l'armée appelé sur les lieux déclara en se frottant le menton:

— Je veux bien être pendu si cette blessure a été causée par un fer à cheval. Ça ressemble plus à un coup de sabre… ou de hache!

Alors, on s'empara de la pauvre Corriveau. On la tira par les cheveux. On lui jeta des pierres. On la ligota et on l'entraîna sous les huées de la populace. Elle criait, désespérée: «Ce n'est

---

13. Déformation phonétique du mot «cheval».

pas moi ! » et se tournait vers moi : « C'est ce soldat ! C'est lui ! Il voulait coucher avec moi ! Il était jaloux de mon Didier… »

Puis, voyant qu'elle ne parvenait à convaincre personne, elle changea d'avis et, comble de rouerie féminine, elle accusa alors son père. Or, trop bonasse et gaga de sa petite fille, le pauvre homme se laissa effectivement mettre en prison.

Il faut dire qu'à Québec, les officiers anglais chargés de l'affaire se moquaient bien de savoir qui était le vrai coupable. Il leur fallait juste quelqu'un à pendre. Pour l'exemple. Il y avait eu mort d'homme. Il fallait donc donner une bonne leçon à ces maudits *Canadians* toujours prêts à se rebeller. Va donc pour le père. On lui fit un procès vite expédié. On le jugea et on le condamna à mort.

Marie-Josephte me reçut dans sa cellule. Vous auriez dû la voir. Elle se croyait sauvée, me sautait au cou et m'embrassait en se mettant sur la pointe des pieds. Elle était persuadée qu'on se contenterait de la condamner pour complicité de meurtre.

— J'aurai droit à soixante coups de fouet et on marquera ma main au fer rouge, mais je serai vivante. Vivante et libre ! se réjouit-elle tout sourire…

Mais voilà, elle manqua de chance… Son foutu papa, juste avant de monter à l'échafaud, demanda à se confesser. Le curé qui l'écouta comprit que l'homme mentait et était innocent. Il lui refusa donc l'absolution et le força à se rétracter sous peine… d'aller brûler en enfer !

Pitoyable, Marie-Josephte se retrouva devant la cour martiale.

La sentence fut sans appel. « *Guilty! Hanged in chains*[14] *!* » lança le juge en abattant son maillet sur la lourde table de bois que lui avaient prêtée les Ursulines de Québec pour tenir ce second procès.

Ma jolie diablesse ne saisit pas immédiatement que le juge avec sa perruque à rouleaux venait ainsi de la condamner à mort. Elle ne comprenait pas l'anglais et avait l'air d'un

14. En anglais : La coupable sera enchaînée et pendue.

animal traqué. Elle me cherchait dans la foule des curieux qui se pressaient dans la salle du monastère où avaient lieu les audiences. Elle finit par me reconnaître et me supplia des yeux. J'eus presque pitié d'elle. Elle ne savait pas ce qui l'attendait.

Le jour de son exécution, elle était si faible qu'elle s'avéra incapable de marcher. On fut donc contraints de la transporter en brouette jusqu'au gibet dressé sur les buttes à Nepveu. Entendait-elle la foule venue en masse assister au spectacle de ses souffrances? Percevait-elle les rires gras des bourgeois et les petits rires excités des belles dames qui se cachaient derrière leurs éventails pour feindre de ne pas apercevoir cette criminelle si mignonne que le bourreau allait bientôt balancer dans le vide et qui allait se tortiller au bout de sa corde?

Non, elle n'entendit rien de cela. Elle était déjà morte. C'était mieux ainsi. Au moins, jamais elle ne sut ce que voulait dire *hanged in chains*.

Mais la foule attendait un spectacle et un spectacle devait être donné. On choisit donc d'enfermer la dépouille encore chaude de La Corriveau dans une horrible cage qui fut suspendue à la potence qu'on avait dressée pour l'occasion à Pointe-Lévy.

Ainsi, ma belle meurtrière, Satan ait son âme, en fut réduite à pourrir aux yeux de tous, au beau milieu d'un carrefour, dans un carcan de fer qui épousait les formes de son corps et qui grinçait au moindre souffle de vent.

Une idée digne de Satan lui-même. Épouvantable et inhumain, n'est-ce pas? Je suis bien d'accord avec vous. Moi-même, j'en fus ému et, pendant plus de deux mois, chaque jour, je vins me recueillir sur les lieux.

Longtemps, je la regardai. Ses vêtements finirent par tomber en lambeaux. Les corneilles vinrent lui becqueter les yeux. Bien entendu, je savais que l'âme de cette malheureuse enfant m'appartenait de droit, mais je trouvais dommage de l'envoyer, comme ça, griller directement en enfer. Il me semblait qu'une pécheresse si remarquablement douée aurait pu servir davantage la cause du Mal. Je pris donc sur moi de la ramener du royaume des morts pour la mettre à mon service.

C'est ainsi qu'une nuit, j'allai décrocher sa cage...

Bien sûr, il ne restait plus grand-chose de l'envoûtante créature que j'avais connue. Juste un squelette dont le crâne moussu avait cependant conservé sa magnifique chevelure rousse.

Je lui redonnai vie.

D'abord, une petite flamme s'alluma au creux de ses orbites vides. Puis ses mâchoires claquèrent. Enfin, ses membres décharnés s'étirèrent à travers les barreaux de la cage afin d'en ouvrir la porte et d'en sortir. Aussitôt, dans un sinistre craquement d'os, elle fit quelques pas maladroits. Elle émit alors un long cri de désespoir qui se mua bientôt en un hurlement de rage lorsqu'elle découvrit son état lamentable.

Comme j'avais repris moi-même ma véritable apparence cornue et fourchue, elle me demanda d'une voix étrangement caverneuse :

— Tu es celui que je crois que tu es et tu m'as fait revenir sur terre, n'est-ce pas ?

— Oui, je suis l'envoyé de Satan, ton nouveau maître. Si tu me sers bien, tu ne le regretteras pas...

— Tu me rendras mon corps et ma beauté ?

— Peut-être.

Elle voulut m'embrasser. Je la rabrouai gentiment.

— Allons, nous avons du pain sur la planche !

Je ne tardai pas à me féliciter de ma décision car, bientôt, la nouvelle courut de Beauport à Sainte-Anne-de-Beaupré et de Lévis à L'Islet.

— La cage n'est plus là ! La Corriveau s'est échappée ! Elle n'était pas morte. C'était bien une sorcière, la fiancée du Diable ! Malheur à nous ! Malheur !

Je vous vois sourire mademoiselle, mais pour dire vrai, Marie-Josephte dépassa toutes mes attentes. Chaque nuit, elle rôdait avec sa cage sur la côte du sud et terrorisait les voyageurs attardés en leur sautant dessus et en les forçant à la porter sur leur dos pour traverser le fleuve afin de se rendre sur l'île d'Orléans festoyer avec tout ce que le pays comptait de sorciers, de loups-garous et autres monstres de son espèce.

Elle apparaissait également dans divers villages sous les traits d'une inconnue d'une grande beauté à la chevelure flamboyante. Après avoir séduit tous les garçons du coin, elle se mariait avec l'un d'eux puis disparaissait, laissant chaque fois derrière elle un nouveau cadavre à peine refroidi. Je me délectais de ce bel ouvrage, car chacun des maris qu'elle assassinait mourait dans le péché et se joignait à ma récolte de damnés.

Son premier époux, par exemple, ne pensait qu'à se goinfrer. Or, elle le bourra de fèves au lard saupoudrées de vert de Paris[15]. Il mourut immédiatement dans d'atroces souffrances en se tenant le ventre avant d'exploser sous l'effet des gaz. Le second était un avare qui passait son temps à compter ses sous. Pendant qu'il sommeillait, elle fondit son or et le lui coula dans les oreilles. Le troisième était un paresseux qui restait couché dans le fenil à longueur de journée. Elle mit donc le feu à la grange où il musardait et battit des mains quand elle le vit sortir, transformé en torche vivante et courant dans tous les sens comme un canard pas de tête avant de s'envoler en fumée. Le quatrième, un notaire, passait pour une tête enflée qui se piquait de causer latin et grec. En plus, il parlait la bouche en cul de poule, à la française, et traitait les petites gens comme de la crotte de chat. Elle prit, cette fois, une longue aiguille à chapeau et, alors qu'il lisait dans sa bibliothèque, elle la lui enfonça dans le cœur. Pschitttt... Le notaire se dégonfla comme un ballon qu'on vient de crever ! Le cinquième, lui, était un colérique qui pestait contre tout et rien. Il donnait des coups de pied aux chiens et des mornifles aux enfants. Il trouvait toujours la soupe trop chaude et l'omelette qu'on lui servait, trop froide. Perpétuellement enragé, la boucane lui sortait par le nez et il jurait tant que saint Pierre et les anges du paradis se bouchaient les oreilles pour ne pas l'entendre. Elle n'attendit pas qu'il lève la main sur elle. Un jour qu'il était affairé à traire et à engueuler les vaches, elle s'empara de la fourche à fumier qu'elle lui planta dans le ventre. Son sixième mari fut le plus vite expédié. C'était un chaud lapin, un être lubrique qui n'arrêtait pas de lui pincer les fesses et ne lui accordait pas une minute de repos. Elle

15. Le vert de Paris, ou pigment vert, est un poison très toxique (acéto-arsénite de cuivre), utilisé à l'origine pour tuer les rats dans les égouts de Paris.

l'étouffa sous un oreiller. Enfin, le dernier, rongé d'envie, espionnait sans répit ses voisins, embusqué derrière une des lucarnes du grenier. Elle lui fit boire un endormitoire[16], lui passa une corde autour du cou, glissa cette dernière par-dessus une poutre, la laissa filer par la fenêtre et l'attacha au cheval du voisin qu'il jalousait tant. Une tape sur la croupe de cette brave bête et cet éternel insatisfait alla rejoindre les six autres dans les cercles de l'enfer réservés à chacun.

Que devint La Corriveau après ce magnifique tableau de chasse? Je l'ignore. Je me souviens juste qu'un jour, alors que je l'invoquai pour qu'elle vienne à moi, elle refusa de se manifester... Le grand patron avait peut-être décidé qu'il était temps de lui faire expier ses crimes en la précipitant à son tour dans les abysses infernaux. À moins qu'elle ne soit encore de ce monde, bien vivante, louve solitaire errant dans les rues des villes à l'affût des hommes, toujours aussi belle avec ses cheveux de feu et ses yeux de braise.

Pourquoi de nouveau ce sourire? Je vous fais pitié? Vous avez raison. Voulez-vous savoir la suite, mademoiselle, ou êtes-vous trop pressée? Je reprendrais bien un café...

---

16. Un somnifère.

IV

SOUS LA COUPE DES CURÉS

Aux alentours de 1840
Je ne suis pas certain de vouloir me souvenir

Pendant les deux siècles qui suivirent, j'eus bien de la misère à exercer mon métier de diable agréé. Vous, mademoiselle, vous êtes jeune et vous me semblez en moyens. Divorcée peut-être? Vous êtes sans doute une de ces femmes libérées qui ne mettent jamais un pied dans un confessionnal et se contrefichent de l'autorité de l'Église. Tenez, je parie que vous prenez la pilule et que vous ne savez même plus comment on se signe. Remarquez, je n'ai rien contre... mais je doute fort que vous soyez capable d'imaginer l'atmosphère étouffante qui régnait ici il y a un siècle et demi. La belle province de Québec était devenue, plus que jamais, une terre de curés. Ce n'était que sermons, retraites fermées, processions aux flambeaux et adoration de la Vierge et du Sacré-Cœur...

Au début, je ne vis pas le piège. Au contraire, je ne pouvais que m'en réjouir. Effectivement, on me craignait tant qu'il n'était jamais question que de moi. Bien sûr, cela me privait de tout effet de surprise. Mais les choses se gâtèrent vraiment lorsque tous les porteurs de col romain décidèrent de me faire la guerre en censurant, condamnant et interdisant tout ce qui, d'après eux, sentait le soufre ou risquait de déranger l'ordre établi. Ces prophètes de malheur n'avaient de cesse de mettre le bon peuple en garde. Iraient en enfer tous les puceaux et les innocentes couventines qui s'endormiraient en ayant des pensées impures. Iraient en enfer les pères de famille enclins à dépenser leurs paies dans les tavernes, à jouer aux cartes ou, pire encore, à lorgner la voisine en nuisette quand celle-ci étendait ses dessous sur la corde à linge. Iraient en enfer les filles qui se pomponnaient trop devant leur miroir, se poudraient le nez ou se mettaient du fard sur les joues. Iraient en enfer tous ceux qui voteraient pour les Rouges[17] et ceux qui voudraient se syndiquer. Iraient aussi en enfer tous ceux qui liraient de mauvais livres décriés par l'Église et mis à l'*Index*[18]... Bref, je devins bientôt l'ennemi public numéro un. En conséquence, ma marge de manœuvre se mit à rétrécir comme une peau de chagrin.

Mais le pire était à venir. En effet, à force d'être tenu responsable des péchés les plus insignifiants, je devins moi-même insignifiant... Par exemple, on se mit à invoquer mon nom dans n'importe quelles circonstances. On le galvauda. Une rivière avait un cours tumultueux, on la baptisait *La Diable*. On découvrait une grotte, elle était aussitôt nommée le *Trou du diable*. L'eau tourbillonnante creusait dans les rives une cavité, celle-ci était désignée comme une *marmite du diable*. Dans le coin de Rigaud, on montrait aux curieux une étendue couverte de cailloux baptisée le *champ du diable* et on racontait que c'était moi qui avais transformé un champ de pommes de terre en champ de roches pour punir un impie ayant osé travailler le dimanche. Même dans le langage de tous les jours, on se servait de moi à toutes les sauces. Les enfants s'énervaient dans la maison et faisaient du tapage : *ils menaient le diable*. On entendait une nouvelle étonnante : *ça parlait au diable!* Un ménage se chicanait : *le diable était*

---

17. Ce terme désignait le Parti libéral, rival du Parti ultramontain fervent catholique, avant de s'appliquer aux communistes.
18. La lecture des livres mentionnés dans la liste de l'*Index* était interdite par l'Église.

pris ou *le diable était dans la cabane*. Le patron refusait d'augmenter les salaires : tout le monde *était en diable*...

Je n'aurais jamais dû tolérer une telle familiarité.

À ce jeu, avec le temps, je cessai d'être une puissance invisible qui risquait réellement d'ébranler les colonnes du ciel en déchaînant les passions et en mettant en selle les quatre cavaliers de l'Apocalypse. Au contraire, je devins une sorte de hochet moral agité par les ecclésiastiques qui, au fond, me trouvaient bien commode car, à bien y réfléchir, je leur servais d'épouvantail.

Pour les plus petits, je rejoignais carrément le grand méchant loup ou le bonhomme Sept heures. Pour les plus vieux, j'étais désormais ce «brave Grippette», ce «sacré Mistigri» ou ce «vieux Charlot» qui, à la longue, ne faisait plus vraiment peur et qu'on évoquait au coin du feu, en racontant les tours pendables qu'on lui avait joués. Souvent, bien sûr, ce n'était que vantardise de la part du conteur, mais les plus effrontés n'hésitaient pas à m'appeler pour tenter de me tourner en ridicule et me faire tomber dans d'authentiques pièges...

Vous, ma belle demoiselle, ne pouvez pas vous imaginer ce que j'ai dû endurer ! Durant les longues soirées d'hiver, on a conté tant de choses à mon sujet... Celui-ci prétendait qu'il avait réussi à m'enfermer dans un sac et m'avait tant bastonné que j'avais dû lui promettre tout ce qu'il demandait. Celui-là jurait avoir eu le front de me tirer la queue pour vérifier s'il était vrai que je chiais de l'or. Par ailleurs, je ne compte plus ceux qui se disaient prêts à me vendre leur âme contre un verre de whisky ou à me la jouer au jeu de dames. Mais chaque fois, c'était la même chose. Ces lascars, au dernier moment, appelaient à l'aide le curé du coin, si bien que je me retrouvais Gros-Jean comme devant.

Bref, je devenais la honte de la profession. Et alors même que j'avais la certitude de ne pouvoir tomber plus bas, je vécus l'expérience la plus humiliante de ma très longue vie.

Si vous me payez un muffin, je vous la raconte. Je ne vous ennuie pas trop avec mes histoires ? Tant mieux...

Bon, alors voilà... J'avais été appelé d'urgence chez un veuf au fond d'un rang du côté de Saint-Stanislas-de-Champlain.

C'était l'hiver. Un froid à ne pas mettre un pauvre diable dehors. Je venais juste d'arriver sur la galerie d'une ferme, perdue au milieu de nulle part, quand j'entendis des cris de bébé. Je jetai un coup d'œil par la fenêtre. À l'intérieur, je vis un père qui agitait un ber dans lequel hurlait un nourrisson. L'homme avait l'air accablé. Parfois, il se prenait la tête à deux mains et l'enfant se mettait à gueuler encore plus fort. Alors, au bout d'un moment, l'habitant souleva le bébé à bout de bras et le secoua.

— Simon! Je n'en peux plus! Arrête de brailler pour l'amour de Dieu!

Ceci dit, le père recoucha son fils qui se remit à pleurer à fendre l'âme, ou à vouloir la vendre au plus offrant...

L'homme appuya du pied sur les berceaux du lit et poussa les quenouilles pour bercer plus fort son petit braillard qui s'époumonait de plus belle.

Découragé, il finit par se lever pour s'écrier:

— Et puis tant pis pour toé... Par mon âme, que le Diable te barce!

De prime abord, cette demande me sembla si ridicule que je tournai les sabots, bien décidé à oublier ce père et son marmot. Mais trois jours plus tard, croyez-moi, croyez-moi pas, ce fut le curé de Saint-Stanislas qui invoqua mon nom à son tour.

Vêtu d'un capot de chat, il m'accueillit sur le parvis de son église.

— Tu as entendu ce que t'a demandé ce pauvre hère? Tu ne peux te défiler maintenant.

Je protestai, évidemment.

— Je ne suis pas une nounou!

— Tu n'as pas le droit de te dérober, me répéta le prêtre. Ce veuf est un impie. Qu'il aille en enfer, je ne m'en soucie guère. Son garçon, par contre, est une âme innocente et tu vas t'en occuper. J'ai trop d'orphelins sur le dos pour prendre celui-là en plus. Tout ça à cause de ces femmes d'aujourd'hui même plus capables de faire douze enfants sans rendre l'âme en couches... Tu dois donc respecter les termes du marché. Sinon...

— Sinon quoi?

— Je préviendrai ton patron.

Et voilà comment, malgré moi, je devins le père adoptif de Simon. Condamné à bercer ce chérubin blond bouclé comme un petit saint Jean-Baptiste. Un enfant qui, dès que je lui fredonnais une berceuse et mettais en branle son berceau, s'endormait en suçant son pouce. Il faut dire que je suis quelqu'un de chaleureux... Bien entendu, il finit par grandir. Et, bientôt, il commença à marcher. Il était drôle dans sa petite jaquette. C'est bien simple : je faillis m'attendrir. Surtout quand il balbutia son premier mot en me tendant ses bras potelés : « Papa ! »

Mais j'étais un diable, que diable !

Je prévins donc le curé.

— Simon est devenu grand. Je ne veux plus en prendre soin. Continuez vous-même si ça vous chante !

J'étais à la fois heureux et furieux de reprendre enfin ma liberté. Furieux surtout d'avoir dû m'abaisser à faire le Bien sous la contrainte. Évidemment, l'âme de Simon était trop pure pour que je lui veuille du mal. En outre, sans me l'avouer, ce petit avait allumé une petite flamme dans mon coeur. Reste que je devais me venger des manigances de ce prêtre qui m'avait roulé dans la farine...

Vous voulez savoir ce que j'ai inventé pour embarrasser mon curé et semer l'émoi dans sa paroisse ? Eh bien, Simon ne put jamais porter autre chose sur le dos que sa jaquette de bébé. Dès qu'on essayait de lui enfiler chemise ou culotte, celles-ci s'enflammaient sur lui sans lui causer la moindre brûlure. D'où le surnom de Simon Jaquette qui lui colla à la peau toute sa vie. Sur le moment, je trouvais ça plutôt drôle. Maintenant, je trouve ça carrément pathétique. Pas vous ?

Malheureusement, ce n'était pas là ma dernière « collaboration » forcée avec un curé. Me croiriez-vous, mademoiselle, si je vous disais que j'ai été jusqu'à construire des églises ? Un peu fort, n'est-ce pas ? Je pourrais même vous faire une liste des sanctuaires que j'ai contribué à bâtir : l'église de Saint-Laurent-de-l'Île-d'Orléans, celle de Saint-Augustin, de Sainte-Marie-de-Beauce, de Sainte-Claire-de-Dorchester et, bien entendu, la fameuse église de la Visitation du Sault-au-Récollet, à Ahuntsic. Que diable allais-je faire dans cette galère, me demanderez-vous ? Et quel bien, ou plutôt quel mal, en tirais-je ? C'est pas mal tordu, je vous l'avoue. Tenez, je vais vous narrer comment ça s'est passé à la Visitation, vous jugerez par vous-même.

Le curé de la place, Jacques-Janvier Vinet, avait de la misère à parachever son église dont les murs gris et les deux tours inachevées s'élevaient au bord de la rivière des Prairies. La pierre de taille venait de loin et le charretier qui la livrait n'avait pour tirer les lourdes charges qu'une vieille picouille qu'il devait fouetter à tour de bras pour la faire avancer. Or, un jour qu'il s'acharnait sur la pauvre bête complètement exténuée, il échappa ce cri de désespoir :

— Je donnerais bien mon âme au Diable pour avoir un joual plus vigoureux que celui-là !

Diaboliquement parlant, c'était une proposition que je ne pouvais refuser. Je me métamorphosai donc sur-le-champ en un superbe cheval noir, énorme, fort comme quatre, naseaux fumants et faisant feu de tous ses sabots.

La surprise passée et le temps de remercier le ciel de ce cadeau inespéré, le charretier admiratif dételа sa vieille carne et m'attela à la place de l'animal qui, aussitôt, se coucha sur le flanc dans la neige et creva.

Ce fut pour moi une simple promenade que de livrer ce premier chargement de pierres jusqu'au chantier. Le traîneau ne glissait pas, il volait presque et, dans la même journée, je fis tant d'allers-retours entre la carrière et le lieu d'entreposage du Sault-au-Récollet que, bientôt, tous les habitants du quartier se regroupèrent le long du trajet pour regarder passer notre attelage.

— Quel joual extraordinaire ! commentaient ceux qui s'y connaissaient. Ça parle au diable : il n'a même pas l'air fatigué ! On n'a jamais rien vu de pareil...

Pour ma part, j'étais comblé. Une seule âme m'était promise, mais quel coup d'éclat je ferais ! J'allais enfin pouvoir redonner un peu de prestige à mon image déjà passablement écornée. *Encore un ou deux voyages,* me disais-je. *J'amasserai alors de gros nuages noirs au-dessus de cette église. Je ferai jouer les cymbales du tonnerre. Je lancerai des éclairs et des boules de feu. Je ferai jaillir de la lave et, devant cette foule de badauds ébaubis, je précipiterai ce charretier en enfer et, si c'est possible, le curé avec tout son troupeau bêlant.*

Bref, tout était prêt. Le grand spectacle pyrotechnique allait commencer. En attendant, l'excitation était à son comble. La foule avait encore grossi. On applaudissait mon arrivée triomphale. On criait. On sifflait... C'est alors qu'alerté par tout ce remue-ménage, le curé Vinet descendit des échafaudages de son église en construction pour voir ce qui se passait. Pour m'avoir sans doute déjà rencontré par le passé en rêve ou en chair et en cornes, il me reconnut immédiatement sous ma forme chevaline et, avant que j'aie pu secouer la crinière pour me libérer et m'enfuir au galop, il me saisit par la bride et traça sur mon museau un signe de croix en proclamant à voix haute :

— Halte-là. Je sais qui tu es, diabolique créature ! *Vade retro Satana !*[19] Tu ne tromperas plus personne céans et, pour ta peine, au nom du Père, du Fils et du Saint-Esprit, je t'ordonne de continuer à charroyer les pierres de la maison de Dieu jusqu'à ce que celle-ci soit terminée.

Misère de misère, je m'étais fait avoir de belle manière. Et comme j'avais la mine basse, le curé en profita pour, d'un geste vif, accrocher son chapelet personnel à mon harnais. J'étais muselé !

Pendant ce temps, le charretier, à l'instar des curieux qui avaient assisté à cette scène, était tombé à genoux, tremblant de peur.

— Ce serait-ti vraiment le yâble ?

Le prêtre le fit relever et alla dans les fourrés voisins cueillir une hart[20] qu'il tendit à l'homme :

— Va, ne crains rien, il ne te fera aucun mal. Continue à le faire travailler. Ne le ménage pas. Caresse-lui la croupe avec cette tige s'il se montre rétif et, surtout... SURTOUT, ne le débride sous aucun prétexte. Tu as compris ?

Le livreur de pierres hocha la tête.

---

19. Arrière, Satan !
20. Longue branche souple dégarnie de feuilles servant de fouet.

Et je me remis à charroyer des blocs. Des blocs énormes qui pesaient des tonnes. Plus que jamais, mon ardeur à l'ouvrage suscita l'émerveillement des paroissiens du nord de la ville, qui n'avaient cure des mises en garde du curé. Il faut dire qu'en ces temps-là, les beaux jouaux faisaient l'orgueil de leurs propriétaires. Aux yeux de certains, il n'y avait rien de plus admirable, même au paradis et encore moins en enfer…

Reste qu'à ce régime, j'avais beau être costaud et endurant, je commençais à maigrir. En outre, il fallait bien que je boive et que je me nourrisse mais, harnaché en permanence comme je l'étais, c'était loin d'être commode. Le soir, après une journée de labeur à suer sang et eau, je plongeais ma tête dans le seau d'eau qu'on m'apportait sans arriver à desserrer les dents, si bien que j'éclaboussais partout sans parvenir à me désaltérer. Pas davantage de succès pour manger mon picotin d'avoine.

Par contre, la construction de l'église, elle, allait bon train, ce qui était loin de me consoler… Les deux clochers recouverts de fer-blanc presque finis pointaient vers le ciel. Ne restait plus qu'à sceller quelques pierres pour fermer le chœur.

Efflanqué, le corps couvert d'écume, les pattes lacérées de plaies à vif, les sabots mal curés, je venais de tirer ma dernière charge et j'étais à bout de forces au point que mes pattes flageolaient. Vint alors à passer dans le coin un naïf maquignon du bas de la ville. Celui-ci, à ma vue, s'indigna et apostropha l'homme qui me menait :

— Comment peut-on maganer un animal de manière si cruelle ! C'est une vraie honte ! Tu pourrais au moins le débrider…

Le charretier baissa la tête. Bien sûr, lui aussi, dans son for intérieur, éprouvait un peu de pitié pour moi qui avais été un si beau «joual» avant que le curé ne s'en mêle. Mais ce bref instant de faiblesse ne dura guère, car pour rien au monde le bonhomme n'aurait osé enfreindre les ordres du curé. Il fit donc la sourde oreille, me prit par le licou et me mena, comme d'habitude, tout harnaché de cuir jusqu'à l'écurie où je m'écroulai à l'abri des regards indiscrets.

Puis arriva le jour où je livrai enfin la dernière pierre de taille que les maçons hissèrent au sommet du dernier mur. Le curé Vinet et le charretier, la tête levée, assistaient à l'opération. Profitant de la distraction de ces derniers, le maquignon qui, quelques jours plus tôt, s'était insurgé contre les mauvais traitements dont j'étais victime, s'approcha de moi. Il me flatta le chanfrein, la mine navrée.

— Pauv' toé, t'as l'air de mourir de soif... Voir si ça du bon sens! Allez, viens!

Je le suivis sans renâcler et, pour ainsi dire, à sabots feutrés. La rivière était toute proche. Il m'y fit entrer jusqu'aux genoux et commença à retirer ma bride...

Au même moment, le curé Vinet se tourna et vit ce qui se passait.

— Arrête, malheureux, ne fais pas ça! s'écria-t-il en dévalant la rive.

Trop tard, la lanière de cuir et le chapelet qui me retenaient captif étaient déjà entre les mains de mon bon Samaritain.

Alors, dans un nuage de soufre, je disparus... ou plutôt je me changeai en anguille et, d'un coup de queue, je m'évanouis dans les flots tumultueux de la rivière des Prairies, laissant derrière moi le maquignon médusé, le charretier ébahi et le curé courroucé.

Quant à moi, je n'étais pas particulièrement fier de m'être laissé ainsi duper une fois de plus et d'avoir érigé un temple à la gloire de Dieu. Remarquez, le curé Vinet ne s'en tira pas à aussi bon compte puisque, vous devez le savoir, ce que le Diable aide à construire présente toujours un vice caché. Dans le cas de l'église de la Visitation, ce vice réside dans la dernière pierre que j'ai apportée et que personne n'a pu cimenter. À ce jour, elle branle encore et laisse filtrer la pluie. D'ailleurs, je ne serais pas surpris qu'un beau matin, l'église entière s'effondre, car c'est généralement ce qui se produit avec ce que je construis.

Tiens, vous avez déjà traversé le pont de Québec? Il est beau, hein! Spectaculaire. Or, saviez-vous que lui aussi s'est effondré à deux reprises[21] et savez-vous pourquoi il s'effondrera encore? Parce qu'un autre prêtre retors, dont

---

21. Toute la structure s'effondra le 29 août 1907 et le tablier central s'écroula à son tour en 1916. Le pont ne fut achevé que le 20 septembre 1917.

j'ai oublié le nom, s'en est mêlé. C'était en 1917. L'ouvrage n'avançait pas et avait déjà causé la mort de quatre-vingt-neuf ouvriers. C'est alors que le curé m'appela et qu'il promit, en échange de mon aide, de m'offrir l'âme du premier être vivant qui franchirait le pont une fois achevé. Toujours aussi crédule, je le crus sur parole et je tricotai un joli pont avec des poutres et des poutrelles d'acier réunies à trois cents pieds au-dessus du fleuve.

Eh bien, voulez-vous savoir ce qu'il advint le jour de l'inauguration en fanfare de cet ouvrage d'art? Le curé s'arrangea pour qu'un chien traverse le tablier en premier! Scandaleux, n'est-ce pas? Un vrai marché de dupe. Ce curé était pourtant, paraît-il, un saint homme qui devint plus tard évêque. Quant au vieux pont de Québec, aux dernières nouvelles, il est toujours debout, mais fiez-vous à moi: IL ROUILLE! Et je suis sûr que, quelque part dans l'enchevêtrement de sa structure compliquée, il y a un ou deux rivets qui manquent et, avec le temps, arrivera bien ce qui doit arriver...

V

SWINGNE LA COMPAGNIE!

Toujours vers 1840
Et des poussières et quelques étincelles...

Après avoir été ainsi mis en échec par les curés, je me doutais que le grand patron fulminerait. Il me convoqua effectivement dans le Pandémonium[22] et me fit une scène si terrifiante que la croûte terrestre en fut ébranlée au point de provoquer éruptions volcaniques, tsunamis et tremblements de terre de magnitude neuf.

— Corniaud! Misérable diablotin d'opérette! Croquemitaine de pacotille! Démon sans queue ni cornes! me hurlèrent en chœur ses quatre têtes furibondes. Comme ça, tu te laisses rouler par des petits curetons de village. Tu n'as pas honte? Tu vas retourner dans ton pays de sauvages pour enfin apprendre à ces gens la calomnie, la magouille, l'avarice, le vice, la gourmandise, le blasphème et la débauche! Montre-leur à faire la fête et à se saouler à s'en court-circuiter les vingt milliards de neurones de leur cerveau. Bref: tu vas leur apprendre à vivre! Débrouille-toi! Je ne serai pas regardant sur la marchandise, mais sois productif. C'est ta dernière chance! J'exige mon quota d'âmes hebdomadaire. Allez, disparais!

22. Cité des enfers. Capitale du royaume infernal.

Heureusement pour moi, un gros évêque de Montréal qui voyait le mal partout vint à mon aide sans le vouloir. Ce prélat bedonnant plus catholique que le pape venait de partir en guerre contre la danse, sous prétexte qu'il trouvait ce divertissement indécent et pernicieux. Selon lui, tenez-vous bien, ma belle demoiselle, la danse échauffait les sens et favorisait les attouchements suspects. C'en était donc fini des quadrilles, de la polka, des rigodons et des sets carrés, sous peine de commettre des péchés mortels passibles de la damnation éternelle.

Évidemment, toujours aux dires de ce zélé monseigneur, cette menace s'adressait en particulier aux jeunes filles, à toutes ces écervelées qui ne pensaient qu'à s'étourdir au bras des garçons, lesquels, au milieu d'un tourbillon de plaisir, les entraînaient au bord du gouffre du vice où le Diable n'avait plus qu'à leur faire une jambette... En tout cas, c'est ce qu'affirmait en gros la lettre pastorale de ce monseigneur.

À la vérité, je ne pouvais rêver d'un coup de pouce aussi providentiel, car il fallait vraiment n'être jamais sorti de son palais épiscopal pour croire un instant que les jeunes gens renonceraient aux délices des veillées dansantes. Monseigneur aurait dû savoir qu'on peut tout faire endurer à un habitant canadien-français : l'humilier, lui manger la laine sur le dos, l'obliger à trimer comme un coolie chinois, se moquer de son patois, le maintenir dans une ignorance crasse, le taxer et le surtaxer, le détrousser de ses droits, mais, au grand jamais on ne touche à son cheval qui le rend si fier, à son cruchon de whisky blanc qui lui permet de tout oublier et au violon qui le fait danser jusqu'à en perdre le souffle...

Toujours est-il que cet interdit au sujet de la danse m'ouvrait un fabuleux marché aux âmes. Je me souviens encore de la première créature qui succomba à la tentation. Elle se prénommait Rose. Rose Latulipe. Dans les dix-huit ans. Une «tête folle», comme disait son père. Vous aimez la danse, mademoiselle? Rose adorait ça... Il suffisait d'un seul coup d'archet ou de deux notes frappées sur les touches d'un piano pour que ses pieds commencent à la démanger. Deux secondes de plus et elle se mettait à virevolter, se moquant des regards quand, dans le mouvement, sa robe se soulevait en dévoilant ses cuisses gainées de soie et ses dessous de dentelle.

C'était un soir de Mardi gras, l'ultime jour de réjouissance autorisé avant le carême. Et comme Rose devait se marier à Pâques à un balourd prénommé Gabriel, c'était sa dernière chance de s'amuser et de lâcher son fou avant qu'on lui passe la bague au doigt et la corde au cou.

Justement, il y avait bal chez un voisin des Latulipe. La mère de Rose, femme fort dévote et respectueuse des édits de l'Église, ne voulait pas que sa fille y aille et avait enfermé celle-ci à double tour dans sa chambre. Or, la pauvre Rose tambourinait de désespoir à la porte et sanglotait.

— Mère, ouvrez-moi, je vous en supplie !

Sa génitrice restait inflexible. Alors, que fit Rose ? Eh bien, elle se sauva par la fenêtre et sauta dans la neige.

— Reviens ! Reviens ! cria sa mère.

— Non ! lui répondit Rose. Rien ne m'empêchera d'aller danser et je danserais même avec le Diable s'il m'invitait.

— Ne tente pas le ciel et l'enfer... se désola sa mère. Promets-moi au moins de rentrer avant minuit !

— Pourquoi ?

— Parce qu'au-delà de minuit, on tombe sur le mercredi des Cendres, jour de carême. Danser ce jour-là, c'est doublement péché. Promets-le. Je vais envoyer Grabriel pour te raccompagner...

— Promis ! lança Rose qui volait déjà vers son destin.

J'avais tout entendu et il était près de onze heures quand je décidai moi-même de faire mon apparition. Je m'étais habillé en « monsieur de la ville ». Pardessus noir à col de fourrure, casque de poil, gants de cuir noir, *sleigh* noir haut sur patins et cheval noir.

La fête battait son plein et, de l'extérieur, j'entendais le martèlement des pieds des danseurs, les battements des cuillères, le rythme endiablé du violon et du ruine-babines.

Mon arrivée ne passa pas inaperçue. Impressionnés par ma tenue et mon attelage, deux solides gaillards qui fumaient la pipe sur le seuil de la maison se précipitèrent pour maintenir mon cheval par la bride et m'inviter à entrer.

À l'intérieur régnait une chaleur suffocante et, à travers la fumée de tabac, je vis le maître du logis qui venait vers moi, main tendue et visiblement ravi de recevoir de la grande visite.

— Entrez donc, monsieur! Dégreyez-vous! Vous êtes le bienvenu.

«Dégreyez-vous», mademoiselle, c'est ce qu'on disait dans le temps pour inviter quelqu'un à retirer son manteau. Vous êtes trop jeune pour vous souvenir de ça. Normal que ça vous fasse rire... Bref, je lui fis un refus poli:

— Non, je préfère garder mon manteau et le reste. Je ne suis que de passage. Je ne resterai pas très longtemps.

Rose, elle, était déjà au centre de la pièce, les mains sur les hanches, sautillant en cadence sous le charme de la musique et de la voix du calleur qui dirigeait l'enchaînement des figures du set carré:

Saluez votre compagnie!
Saluez de l'autre côté!
Tout le monde en ronde
Donnez-vous la main...

C'était un vrai beau spectacle. Les danseurs tournoyaient, se saluaient en suivant les consignes et tous les yeux étaient sur Rose. Elle rayonnait, éclatant de rire chaque fois qu'un nouveau partenaire lui glissait des polissonneries à l'oreille.

L'un autour de l'autre, vous tournez!
De l'autre sens, vous circulez!
Assez tourné! R'venez chez vous!
Les femmes au milieu, moulinet main droite!
Changez d'côté! À main gauche, vous revenez!
Attention! Ça swingne!

Le set acheva enfin et le calleur, presque aussi essoufflé que les danseurs de rigodon, lança un dernier avertissement:

Encore un swingne!
Et swingne-la fort!
Domino, tout le monde ont chaud[23]...

---

23. Le texte de ce *call* est emprunté au site Internet *Dossier sur les danses traditionnelles du Québec*: *Un* call *de set carré québécois*. Texte de Luc Gaudreau d'après le CD des Maganés.

Le violoneux s'arrêta, lui aussi, le temps de s'humecter le gosier et de réaccorder son instrument. Puis il entama un reel si endiablé que toute l'assistance se mit à taper du pied.

Gabriel, le fiancé de Rose, tenta bien d'arracher sa promise au cercle des danseurs en la tirant par le bras et en la suppliant :

— Ma belle, ta mère m'envoie, on devrait rentrer. Regarde l'heure qu'il est !

Rose jeta bien un coup d'œil à l'horloge grand-père qui venait de sonner minuit moins le quart, mais elle résista à son amoureux.

— Il n'est pas si tard. Encore une danse... S'il te plaît ! Rien qu'une...

Gabriel acquiesça à contrecœur et, comme le violoneux venait d'entamer un air de valse irrésistible, il voulut naturellement prendre sa fiancée par la taille, mais je m'interposai juste à cet instant en affichant mon sourire le plus enjôleur.

— Vous permettez, jeune homme... Celle-là est pour moi. Et vous, ma jolie, m'accorderez-vous cette danse ?

Rose parut hésiter avant de rire un peu naïvement.

— Pourquoi pas ! N'ai-je pas lancé à ma mère que je danserais même avec le Diable s'il se présentait ?

Je fis semblant de trouver cette boutade très drôle.

Et nous commençâmes à danser. D'abord lentement, langoureusement... Je lui murmurai des compliments qui la firent rougir. Puis, je m'arrangeai pour que le violoneux joue plus vite. Toujours plus vite. Au bout d'un moment, nous nous mîmes à tourner si rapidement que nous fûmes les seuls à tenir le rythme vertigineux qui avait pour but de faire perdre la tête à ma partenaire.

Je me penchai de nouveau sur elle pour lui souffler :

— Rose, ma Rose, me feriez-vous une faveur ? Ce collier que vous portez au cou avec cette petite croix en pendentif me semble indigne de votre beauté. Laissez-moi vous l'enlever. À la place, je vous en offrirai un en or serti de perles, de rubis et de diamants.

Elle fit oui de la tête et je n'eus aucun mal à faire disparaître ce bijou qui me gênait énormément et me forçait sans arrêt à détourner les yeux de sa gorge. Et nous continuâmes à valser sous les regards de plus en plus inquiets des invités qui échangeaient à voix basse des remarques que je faisais semblant de ne pas entendre.

— Vous avez vu, disait une mère qui berçait son bébé. Chaque fois que cet étranger passe près du berceau, mon angelot se met à pleurer... Bizarre, vous ne trouvez pas?

— Et moi, renchérissait une vieille tout en égrenant son chapelet, il me fait des grimaces et me tire la langue. Ce monsieur de la ville a de bien drôles de manières...

Gabriel, lui aussi, m'observait d'un sale œil. Il sortit un instant, sans doute pour respirer un peu d'air frais. Toutefois, à son retour, je le vis discuter avec le maître de la maison qui se mit aussitôt à me dévisager avec insistance.

Je tendis l'oreille pour capter leur conversation.

— Maître Bonenfant, ce n'est pas normal. Je reviens de dehors, disait le fiancé évincé. J'ai vu le cheval de ce bourgeois. On ne peut le flatter sans se brûler la main et, malgré le gros frette, la neige sous lui a fondu. Il y a du Malin là-dedans... Vous ne pensez pas? Il faudrait peut-être prévenir monsieur le curé...

Le vieil homme consulta son horloge et tira sa montre de gousset comme pour vérifier l'heure.

— Oui, c'est étrange, mais minuit va bientôt sonner et, de toute manière, je ne vais pas tarder à faire taire la musique.

Je savais, moi aussi, que l'échéance approchait et qu'il était plus prudent de bien m'assurer que la belle Rose ne puisse m'échapper. Je lui serrai donc la taille un peu plus fort et embrassai sa nuque.

— Ma petite Rose, mon beau bouton de rose, que diriez-vous d'être toute à moi?

La belle soupira.

— La tête me tourne et mes pieds me font mal... Que m'avez-vous dit? Je n'ai pas bien compris...

Je m'apprêtais à répéter ma question quand je sentis qu'on tirait ma manche.

Je me retournai.

C'était une fillette de six ou sept ans qui me demanda, l'air éberlué :

— Dis, monsieur, pourquoi, toi, tu n'as pas de chaussures? Pourquoi tu as les pieds comme les sabots de ma biquette?

Sa mère vint aussitôt la saisir par la main.

— Excusez-la... Voyons, ma petite Adèle, arrête de dire des bêtises! Tu vois bien que le monsieur est chaussé comme tout le monde.

Tout à coup, l'horloge fit entendre son carillon et commença à sonner les douze coups de minuit.

Le sieur Bonenfant fit aussitôt signe au violoneux de cesser de jouer et avertit la compagnie que la fête était terminée. Mais, à sa grande stupéfaction, le violoneux continua de jouer tout en paraissant lutter contre une force invisible. De leur côté, les invités, cloués sur place par le même enchantement, se mirent à pousser des cris de terreur. Tout ce chaos finit par éveiller Rose qui commença à hurler et à se débattre pour se libérer de mon étreinte. Dans l'empoignade, elle fit même voler mon casque de fourrure et découvrit... mes cornes!

Elle écarquilla les yeux, épouvantée.

— Vous... Vous êtes le DIABLE!

Je n'avais plus de raison de me cacher. Aussi, d'une voix formidable, je grondai:

— Oui, je suis Grippette, l'envoyé de Satan et tu es à moi. Inutile de me résister!

— Lâchez-moi! Au secours! s'égosilla la belle en pleurs qui se démenait si fort pour prendre la fuite que je dus enlever mes gants et lui enfoncer mes griffes jusqu'au sang dans les avant-bras pour la retenir.

Voyant cela, Gabriel, bien sûr, voulut se porter au secours de son infortunée fiancée. D'une chiquenaude, je l'envoyai à l'autre bout de la pièce.

À travers les flammes qui sortaient du plancher et les vapeurs de soufre qui envahissaient la maison, je vis alors s'ouvrir une porte. Le curé du village fit son entrée, vêtu de son capot de chat et coiffé de sa barrette. D'un geste théâtral, il trempa son goupillon dans le vase qu'il avait emporté et s'avança résolument vers moi en projetant des gouttes d'eau bénite autour de lui avec la vigueur d'un pompier qui veut éteindre un gros incendie. Puis, à deux pieds de moi, il ôta son étole et m'en frappa à tour de bras en criant:

— Arrière, Satan! Laisse en paix cette jeune imprudente! Je te l'ordonne au nom de Notre-Seigneur Jésus-Christ!

Aspergé d'eau bénite des cornes aux sabots et cinglé de coups d'étole, je laissai tomber les flammes sans pour autant lâcher Rose qui, sous le choc de l'émotion, s'était évanouie dans mes bras. Le curé, voyant que je n'abandonnais pas si facilement ma proie, s'arrêta un instant, perplexe. J'en profitai pour déguerpir de manière spectaculaire. En fait : je leur sortis le grand jeu. Quelques signes cabalistiques, un pentacle tracé au sol du bout d'un de mes sabots et s'ouvrit aussitôt un gouffre sans fond dans lequel j'entraînai ma belle danseuse...

Ah ! La damnation de Rose Latulipe ! Quelle jubilation ! Quel souvenir impérissable ! Presque aussi cher à mon cœur que celui de mon inoubliable Marie-Josephte Corriveau. Mon heure de triomphe, en vérité. On en parle encore dans les campagnes ! Rien qu'à raconter cet épisode si émouvant de ma vie, j'en ai les larmes aux yeux. Que de jaloux je fis, ce jour-là, dans le petit monde des démons ! D'autant plus qu'encouragé par ce succès je m'empressai, cette année-là, de faire tomber dans le même piège diabolique non pas une, deux ou trois autres danseuses impénitentes, mais des escadrons de jolies filles dont les prénoms chanteront toujours dans ma mémoire tel un hymne à ma gloire passée : Albertine, Pâquerette, Suzon, Perrine, Yvette, Lison, Léontine, Babette, Madelon, Lisette, Ernestine, Florette, Marion, Honorine, Violette, Ninon, Mathurine, Mariette... Alouette ! Ceci jusqu'à ce que le grand patron me convoque de nouveau et m'attrape par la barbichette.

— Mon petit Grippette, tu dois arrêter ta récolte de vierges folles. En effet, d'après Méphistophélès, notre expert en droit infernal, il y a vice de forme et, contrairement à ce que prétendent les curés, la danse n'est pas un péché mortel. Je risque donc de me taper une inspection de la milice céleste, d'être obligé de rendre les âmes en question, de devoir les blanchir à mes frais et de revoir toute ma comptabilité... Une pure perte...

Inutile de vous dire ma déception...

Vous riez, mademoiselle...

Vous trouvez ça drôle !

Moi pas...

VI

UNE SAISON PRESQUE EN ENFER

1846
Et quelques soupirs de soufre

Je mis plusieurs mois à me remettre de cette fâcheuse erreur. Tant d'efforts pour si peu de résultats me déprimèrent au point que je décidai de faire retraite afin de réfléchir à mon avenir de malheureux démon.

Je pensai d'abord à me claquemurer, tel un ermite, dans quelque caverne ou «trou du diable», mais je suis allergique à la crotte de chauve-souris. Par ailleurs, trouver un lieu où je me sentirais vraiment chez moi était loin d'être évident dans ce pays aux mille clochers où tant de bondieuseries polluaient le paysage.

Mais à force de chercher, je finis par dénicher un endroit *béni*, ou devrais-je dire *maudit* des dieux. Les Forges du Saint-Maurice.

Je fus séduit immédiatement par le charme de ce véritable enfer sur terre noyé de fumée où tout était calciné, couvert de suie, de cendres et de mâchefer. Il y régnait un bruit assourdissant et une chaleur infernale. De lourds marteaux battaient sans arrêt. Les cheminées crachaient des tourbillons de feu. Je n'aurais pu rêver mieux.

Depuis plus de cinquante ans, le maître de ces forges, Matthew Bell, imposait sa loi sur les quatre cent cinquante ouvriers qui, nuit et jour, extrayaient du minerai et coupaient les vingt mille cordes de bois nécessaires pour alimenter la gueule insatiable du haut-fourneau et lui permettre de vomir ses coulées incandescentes de métal fondu.

Écossais d'origine, ce Bell était un de ces chevaliers d'industrie venus en Amérique pour s'enrichir. Or, à force de vivre dans cet univers en tous points semblable aux fournaises du royaume infernal, il avait fini par se prendre lui-même pour une sorte d'être tout-puissant sans foi ni loi, pour ne pas dire le Diable en personne.

Du coup, il vouait ostensiblement un mépris total aux bons chrétiens des paroisses voisines, ces «grenouilles de bénitier des Trois-Rivières», ces «rongeux de balustre de Pointe-du-Lac» et ces «gobeux d'hosties du Cap-de-la-Madeleine», comme il se plaisait à les appeler. Du coup également, il n'engageait que des mécréants de la pire espèce : mineurs, charretiers, charbonniers, fondeurs, mouleurs constituant le plus admirable ramassis d'ivrognes et de fêtards qui se puisse imaginer. En quelque sorte, des damnés d'avance dont les trognes brûlées par le feu et la fumée étaient aussi noires que leurs âmes.

Vous comprendrez que, pour moi, pauvre diable maintes fois «enfourluché», l'endroit était idéal. Point de curés manipulateurs à redouter. Juste des hommes en état perpétuel de péché mortel à envoyer aux enfers d'une simple pichenette. Bref, j'étais comme chez moi et je pouvais sans aucun remords m'abandonner au bonheur de me tourner les griffes. Personne ne me parlait. Je ne parlais à personne. Et comme je voulais passer inaperçu, je prenais tantôt l'apparence d'un charretier la face barbouillée de poussière de charbon de bois, tantôt celle d'un chat noir. Un gros matou noiraud qui, la nuit, au milieu des étincelles, se promenait sur les bords du gueulard[24] ou bien se glissait au cœur du haut-fourneau pour se frotter aux jambes des ouvriers et quêter leurs caresses. Un animal si familier que les fondeurs, torses nus et ruisselants de sueur, renoncèrent à me chasser à coups de pied.

---

24. Ouverture supérieure du haut-fourneau par laquelle se fait le chargement en charbon et en minerai.

Je me souviens que plus d'un se plaignait de la chaleur insupportable au centre de la tour massive du fourneau. Souvent, les hommes devaient reculer au moment où le chef d'équipe faisait sauter le bouchon qui libérait la fonte en fusion. Quant à moi, la température ne me gênait pas du tout. Au contraire, je m'étirais les pattes au-dessus du ruisseau ardent et je ne me lassais pas de voir les moules se remplir de métal liquide.

Bien sûr, il arrivait que ma présence agace un des fondeurs, qui me repoussait du revers de la main. Je faisais alors le gros dos et mon poil se hérissait jusqu'à me faire apparaître énorme. Impressionnés, les plus braves me laissaient en paix. J'en profitais pour m'approcher un peu plus de la fournaise et, dès que les ouvriers avaient le dos tourné, d'un bond je plongeais carrément dans la gueule du four en poussant un long miaulement d'aise.

Quand je n'étais pas au haut-fourneau, je me faufilais dans les différentes boutiques de forge, car j'adorais le travail des forgerons. Je regardais infatigablement la roue d'eau animer les gigantesques soufflets et les marteaux hydrauliques qui, dans un bruit d'enfer, frappaient sans relâche les gueuses[25]. Le soir, quand les employés avaient quitté leur ouvrage, j'en profitais pour flâner à mon aise dans les halles et les ateliers déserts. Je jouais avec les outils. Je ranimais les feux et, lorsque les braises rougeoyaient de nouveau, j'y plongeais à tour de rôle mes pattes, comme si elles étaient des barres de fer. Puis, quand l'une d'elles était chauffée à blanc, je la martelais sur l'enclume en m'amusant à l'allonger, à la raccourcir ou à lui forger un sabot d'acier.

Forcément, monsieur Bell finit par s'intéresser au mystérieux chat noir dont parlaient sans cesse ses ouvriers et qui, soi-disant, hantait ses installations la nuit en y menant un tel tapage qu'on l'entendait depuis la grande maison.

Ce fut la fin de mes vacances trifluviennes et le début de mes ennuis.

25. Lingot de fonte brute.

J'étais justement occupé à fixer de nouveaux fers sur mes sabots quand le maître de forges, armé d'une canardière, entra avec fracas dans la forge basse.

— Que faites-vous ici et qui êtes-vous? tonna-t-il en pointant le canon de son arme sur moi.

Comme j'étais dans mon état naturel, c'est-à-dire nu avec mes cornes, ma queue fourchue et mes pattes de bouc, je crus superflu de lui décliner mon identité.

D'ailleurs, une fois sa question lancée, le patron des lieux se trouva stupide et aussitôt changea de ton pour adopter celui de la cordialité.

— Évidemment, c'est vous! Bienvenue! À la noirceur de ma réputation, je m'attendais bien un jour à recevoir votre visite! Mais pourquoi vous cachez-vous dans ce trou à rats? Venez au manoir, je vous invite!

Et c'est ainsi que je devins l'hôte du plus fieffé gredin que la terre ait jamais porté. Un homme qui non seulement n'avait pas peur de moi, mais qui aspirait ni plus ni moins à se transformer lui aussi en une sorte de diable à face humaine gouvernant sans partage son domaine maudit avant d'étendre son empire du mal sur la planète entière.

Je fus donc sous peu un familier de la fameuse grande maison. Jamais je n'avais vu un luxe pareil, une débauche semblable d'or, de soie et de cristal. Une telle succession de banquets et de bals somptueux courus par tout ce que la province comptait de politiciens corrompus, de banquiers véreux et de femmes de mauvaise vie. Tout un monde vêtu princièrement avec perruques poudrées, fracs et gilets brodés, escarpins, robes à froufrous et éventails.

Ici, qu'on soit dimanche, en plein carême, ou même le Vendredi saint, c'était jour de fête et de réjouissance.

J'aurais dû comprendre immédiatement qu'un pacte d'amitié avec un individu aussi ambitieux que ce monsieur Bell ne pouvait que mener au désastre. Il fallut pourtant cette histoire de testament et la mort de cette mademoiselle Poulin pour que je retrouve une parcelle de lucidité et constate mon erreur...

Qui était mademoiselle Poulin? Attendez... un peu de patience! Commençons par le début... Voilà, je vous explique...

Je dois d'abord vous dire que lorsque monsieur Bell ne passait pas son temps à vendre à prix d'or les marmites et les objets de fonte produits par ses forges, il avait une passion toute britannique pour la chasse. Un jour, il m'invita donc à cette activité dont l'essentiel se résumait à une folle chevauchée à travers les prés et les forêts dans le but de terroriser et de tuer un minuscule renard. Un sport parfaitement cruel qui avait tout pour me plaire. Et que dire des uniformes et des chevaux fournis par Bell ! Même le roi d'Angleterre ne devait pas avoir plus bel équipage. Vestes rouges, bombes[26] et bottes vernies. Des pur-sang anglais comme montures. Une armée de rabatteurs. Une meute de plus de cent chiens courants...

Ce matin-là, nous galopions depuis des heures, filant comme des flèches à travers la campagne, sautant les clôtures et répondant aux appels du cor qui résonnaient dans la forêt. La malheureuse bête à queue rousse que nous traquions nous entraîna loin du domaine des forges dans une magnifique érablière que nous traversâmes à bride abattue avant de nous retrouver au beau milieu d'une vaste étendue cultivée dont les épis de blé ondulaient sous la caresse du vent. Plusieurs chasseurs hésitèrent à fouler cet océan de céréales prêtes à être moissonnées. Monsieur Bell, lui, ne se gêna pas et, précédé d'une vingtaine de cabots hurlants, il éperonna son cheval qui s'enfonça dans les blés jusqu'au poitrail. Ce fut le signal d'un saccage général. En effet, toute la chasse, d'un seul élan, se précipita à sa suite dans le champ et le piétina sauvagement comme si une tornade chargée de grêle s'abattait sur lui.

C'est alors qu'à l'autre bout du champ apparut la fameuse mademoiselle Poulin, debout dans son boghei telle une furie vengeresse. Elle était propriétaire des terres arables et des forêts d'érables des environs. Vieille fille sèche et très riche, la demoiselle en question était connue pour son mauvais caractère. Outrée, elle brandit son fouet et apostropha monsieur Bell qui nous fit signe d'arrêter.

26. Casquette hémisphérique des cavaliers.

— Que Dieu te maudisse, Matthew Bell : tu ne respectes rien. Tes bûcherons coupent mes arbres pour en faire du charbon de bois et, maintenant, tu détruis mes récoltes.

Le maître de forges se dressa sur ses étriers et leva sa cravache.

— Écarte-toi, espèce de folle. Ces terrains sont à moi. Le gouvernement me les a concédés. Allons, mes amis, ne perdons pas de temps, sinon ce renard va nous échapper.

Cependant, la vieille fille n'avait pas l'intention de céder le passage et, quand monsieur Bell s'approcha, elle voulut le frapper. Celui-ci riposta aussitôt en cravachant la croupe du cheval de la dame. Évidemment, l'animal rua dans les brancards et partit à la fine épouvante. Mademoiselle Poulin, déséquilibrée, roula sur le sol et se releva péniblement en époussetant sa longue robe démodée de soie noire.

— Matthew Bell, sois damné ! Tu te crois le plus fort ! Eh bien, puisqu'il en est ainsi, c'est au Diable que je léguerai mes terres et toute ma fortune. Celui-là te fera un bon voisin !

Bien entendu, Bell passa outre ces menaces et nous reprîmes notre chasse.

Or, le soir même, inopinément, on retrouva mademoiselle Poulin chez elle, assise devant son foyer, morte, une plume dans la main et ses dernières volontés dûment signées dans l'autre avec la mention explicite : « Au Diable, mon âme et tout ce que je possède en ce monde. » Tout un cadeau, car son coffre-fort demeuré ouvert était rempli à craquer de liasses de billets, de paquets d'actions et de sacs d'or. Monsieur Bell, vous vous en doutez bien, fit celui que cette mort soudaine laissait indifférent, mais il ne put s'empêcher de me poser la question qui, en réalité, lui brûlait les lèvres.

— Bien sûr, vous ne prenez pas au sérieux cette ridicule donation qui, d'ailleurs, n'a aucune valeur légale ?

Je le rassurai tout en sachant pertinemment que le flambeau de la discorde venait bel et bien de s'allumer entre nous.

Il faut que je vous explique qu'il existe un principe irréfragable dans l'univers démoniaque. Une sorte de code. On ne peut invoquer le nom du Diable en vain et ce qu'on lègue au Diable devient propriété inaliénable du Diable. Pour mon malheur, même si je ne l'avais pas vraiment souhaité, j'étais donc *de facto* millionnaire et le nouveau maître d'une bonne partie du domaine des forges.

Je savais ce qu'il me restait à faire si je ne voulais pas encourir une fois de plus le courroux du grand patron. En consultant le cadastre, j'obtins assez facilement un plan des terres de mademoiselle Poulin et, le plus discrètement possible, j'en fis le tour, arpentant avec soin chaque parcelle de terrain qui, désormais, m'appartenait ou, plutôt, revenait à mon maître, le prince des Ténèbres, dont j'étais devenu le mandataire officiel. Quant à l'or de la vieille, je le mis dans des marmites que j'enterrai un peu partout après les avoir ensorcelées. Ainsi, au moindre coup de pelle d'un éventuel chercheur de trésor, elles se déplaceraient diaboliquement comme des feux-follets. Enfin, pour protéger l'ensemble de mon domaine et en faire une véritable terre maudite, j'eus de nouveau recours à la magie noire en jetant un mauvais sort à l'ensemble de la propriété, de telle manière que plus aucune charrette de minerai ou de charbon ne puisse franchir le troisième coteau, lequel marquait les limites du bien dont j'étais désormais le gardien.

Vous devinez, cela va de soi, que quelques aventureux tentèrent de braver cette malédiction. Mal leur en prit. Dès que leur attelage franchissait le coteau, ils avaient beau houspiller leurs bêtes ou les rosser à mort, celles-ci s'immobilisaient, paralysées, les yeux fous, hennissant de terreur.

Je trouvai aussi le moyen d'épouvanter les bûcheux qui, sur l'ordre de Bell, se risquèrent à abattre mes érables. En effet, dès qu'ils s'attaquaient à un tronc, celui-ci se mettait à saigner et tous les arbres de la forêt se mettaient à pousser des cris de douleur, produisant ce que les hommes appelaient «le beuglard», un hurlement si insupportable que ceux qui l'entendaient devaient plaquer leurs mains contre leurs oreilles pour protéger leur ouïe.

Le seul à ne pas être bouleversé par cette série de prodiges fut, bien sûr, monsieur Bell. Celui-ci était plutôt furieux que des «rumeurs insensées» missent en péril ses affaires. Déjà, le haut-fourneau manquait de charbon et les clients apeurés se faisaient plus rares. Bref, il ne décolérait pas. D'ami et complice, je devins vite à ses yeux un obstacle à la bonne marche de son industrie qui périclitait…

Ainsi, les bals cessèrent et, en désespoir de cause, Matthew Bell décida de régler le cas en me lançant carrément un défi d'homme à homme : une bonne bagarre comme cela se faisait dans son Écosse natale. Bien sûr, étant donné que lui-même était trop vieux et souffrait de la goutte, il fut convenu que j'affronterais son champion en la personne de son contremaître, Antoine Tassé.

Je connaissais de réputation cet énergumène aux muscles d'hercule de foire qui menait les ouvriers en leur bottant le cul et en leur promettant des tourments pires que ceux de l'enfer s'ils ne lui obéissaient pas au doigt et à l'œil. Force est d'avouer que Tassé avait le tour de se faire craindre. Je l'avais déjà vu soulever un cheval sur ses épaules afin de prouver sa robustesse. Par ailleurs, je crois me souvenir d'une bagarre de taverne durant laquelle il avait saisi un homme par les pieds et s'en était servi comme d'un gourdin en le faisant tournoyer au-dessus de sa tête. Son meilleur tour, cependant, il le réservait aux visiteurs des forges. Il attendait l'heure de la coulée de fonte liquide et là, mine de rien, il buvait un bol de métal en fusion comme on se rafraichit à une fontaine. Le tout sous le regard médusé de ceux qu'il cherchait à impressionner.

— Ah ! Ça vous réchauffe le gorgoton ! ajoutait-il en s'essuyant le coin de la bouche du revers de sa manche comme s'il venait d'avaler une rasade de rhum.

De toute évidence, il y avait une branche diabolique dans son arbre généalogique, mais je n'ai jamais su exactement laquelle… Toujours est-il qu'être confronté à un taupin de ce genre aurait dû me faire appréhender le pire. Or, comme je fis preuve d'un excès de confiance, ce fut le pire qui arriva. Car ce colosse à cervelle d'homme de Neandertal se révéla un adversaire bien plus coriace que je l'imaginais.

La rencontre était prévue pour la semaine suivante, ce qui me donna le temps d'étudier le spécimen. Cela débuta, de la part du contremaître, par des regards assassins et des bourrades intentionnelles quand nous nous croisions par hasard. Cela se poursuivit par des provocations lancées de vive voix devant les ouvriers.

— D'après le patron, ce type est le yable en personne. Mais yable ou pas yable, ce Grippette ne me fait pas peur. Je le briserai comme du petit bois, comme ça, rien que d'une main!

Et comme je m'y attendais, cela se termina par un cartel[27] en bonne et due forme m'expliquant les conditions de l'épreuve de force qui devait décider du sort des Forges. Ce fut un charbonnier noir comme l'enfer qui me transmit officiellement l'invitation en y ajoutant un chapelet de sacres et des giclées de crachats et de jus de tabac à chiquer.

— C'est le *foreman* qui m'envoye. Il a choisi comme première épreuve de tirer au poignet avec toi. T'es mieux de te présenter, mon verrat. Si tu gagnes, comme il n'a pas une cenne qui l'adore, il te fait cadeau de son âme et de celles de tout nous autres. Quant à monsieur Bell, il est d'accord pour te céder toute la compagnie. Par contre, si tu perds, mon enfant de chienne, tu accordes à Antoine un vœu de son choix et tu sacres ton camp d'icitte avec ta queue fourchue entre les sabots en laissant à monsieur Bell, notre bourgeois, tout ce que la vieille folle de Poulin t'a légué.

Un diable normal, en bonne condition physique, est réputé avoir la force de cent solides gaillards. D'un coup de talon, il ébranle la terre jusqu'à ses entrailles. D'une chiquenaude, il fait dérailler un train ou décapite une montagne et, d'un simple souffle, il déchaîne des tempêtes à écorner les bœufs et à décoiffer les clochers d'église. Vaincre un simple mortel dans une banale partie de bras de fer me semblait donc, de prime abord, une simple formalité.

Ainsi, c'est rempli d'une mâle assurance que je me présentai dans la halle à charbon où devait avoir lieu la compétition. Une table de chêne et deux chaises avaient été installées à la lueur des fanaux. Je devinais, dans l'ombre, les bouilles goguenardes d'une cinquantaine d'ouvriers qui m'accueillirent par des huées et des quolibets. Il y avait également des femmes. La plupart d'horribles mégères mêlées à de jeunes poissardes qui se disputaient pour savoir qui crierait le plus fort. L'une d'elles

27. Carte que l'on envoyait pour provoquer quelqu'un en duel.

vint même me narguer en soulevant ses jupes crasseuses pour me montrer ses fesses tout aussi crasseuses.

Tassé, lui, était déjà assis, affichant un sourire moqueur.

Je m'installai en face de lui et, au signal de l'arbitre, nous nous empoignâmes, coudes posés sur la table. Sans aucun effort, je fis ployer son avant-bras qui, bientôt, toucha presque le plateau de la table. L'arbitre, penché pour mieux voir, avait déjà levé le bras, prêt à me désigner comme le vainqueur quand, soudain, je sentis une résistance. J'accentuai la pression... Le bras de mon adversaire resta figé à un pouce de la victoire. Je tendis mes muscles à m'en faire décoller les cornes. Pas plus de résultat. Je commençai à suer par tous les poils de mon corps...

Les partisans d'Antoine Tassé, qui croyaient leur cause virée en eau de boudin, retinrent leur souffle. Puis quelques timides encouragements fusèrent en faveur de mon coriace adversaire.

— Vas-y, Tony, lâche pas! Tu vas l'avoir!

Déconcerté, je griffais la table, ahanant sous l'effort surdémoniaque. J'invoquai Lucifer, Belzébuth, Belphégor et le grand Satan lui-même, les suppliant de ne pas m'abandonner. Je forçai et forçai encore... Or, loin de fléchir, le bras d'acier du contremaître se mit à remonter lentement. En fait, il revint bientôt à sa position de départ, bien à la verticale. Je grimaçai de douleur en sentant mes forces s'épuiser. Tassé, au contraire, semblait à peine fatigué. Sous ses sourcils broussailleux, ses yeux de chat me fixaient. Plus que jamais j'étais convaincu que cet homme à la force hors du commun était lui-même une sorte de diable, peut-être même un envoyé à la solde de quelque instance supérieure cherchant à m'humilier et à me discréditer à jamais.

Cette pensée eut pour effet de me déconcentrer et Tassé en profita pour prendre l'avantage. C'est moi qui, maintenant, luttais pour que mon bras en situation périlleuse ne soit pas plaqué sur la table, voire pulvérisé.

La lutte s'éternisait. Les spectateurs, eux, exultaient.

— Il est cuit, regardez, la boucane lui sort par les oreilles!

Ils n'avaient pas tort. Mes dernières ressources s'épuisaient. Mon bras tremblait et je ne sentais plus mes phalanges à demi broyées. Il ne me restait plus qu'une solution, ou plutôt une arme secrète proprement diabolique pour m'en sortir : je lâchai un pet formidable qui empuantit la pièce à tel point qu'il provoqua une débandade générale. Même Tassé ne put résister à la pestilence et leva sa main gauche pour se boucher le nez tout en me repoussant de son autre main.

— C'est pas du jeu ! C'est le cas de le dire : tu pues le diable. C'est pas supportable !

Je fis semblant d'être désolé et, beau joueur, je lui proposai de remettre à plus tard cette joute ridicule. En échange, je promis de lui exaucer gratuitement, et sur-le-champ, un vœu de son choix.

— Que désires-tu ? Je t'écoute...

Tassé ouvrit une fenêtre pour aérer la halle et jeta un coup d'œil circulaire sur la panoplie d'instruments de travail qui étaient accrochés aux murs.

— Je veux que tous ces maudits outils avec lesquels je me crève à l'ouvrage depuis dix longues années fassent désormais la job à ma place et que je n'aie plus rien à faire de mes dix doigts.

— Accordé.

Tassé se leva, remonta ses bretelles et cracha à terre pour sceller cette entente.

— OK, mais je n'en ai pas fini pour autant avec toi. On se retrouve le mois prochain au même endroit et, cette fois, on réglera ça aux poings et... dewors !

Somme toute, je m'en étais tiré pas trop mal. J'avais évité de justesse une défaite déshonorante et je disposais de quelques précieuses semaines pour prendre ma revanche dès que j'aurais trouvé un moyen de rosser cet homme redoutable.

En attendant, Antoine Tassé devint très populaire. Dès qu'ils avaient un moment de libre, tous les ouvriers des forges accouraient au haut-fourneau pour assister au prodige des outils magiques qui faisaient le travail du contremaître alors que celui-ci fumait sa pipe bien assis dans une berceuse tout en se faisant griller des saucisses sur les braises.

Le spectacle, je l'avoue, n'était pas banal. Il fallait voir ces pelles qui pelletaient toutes seules le charbon, ces louches qui puisaient le fer liquide, ces tisonniers qui ranimaient les flammes, ces pinces et ces happes qui manipulaient les barres de métal encore rouges, ces marteaux qui martelaient, ces tranches qui tranchaient. Et le plus admirable était que ces outils exécutaient leur tâche de façon parfaite, comme menés par une main invisible, le tout donnant l'impression d'une sorte de ballet fantastique bien rodé.

Par contre, monsieur Bell ne partageait pas l'admiration générale pour ce qu'il appelait des «diableries». L'ouvrage s'en ressentait. Un contremaître qui ne travaille pas vraiment et passe son temps à se bercer, ce n'était pas sérieux. Des ouvriers qui, au lieu de fondre et de forger, quittaient sans arrêt leurs postes et prenaient des paris sur les résultats du prochain pugilat, ce n'était guère mieux. Tout ça, surtout, ne faisait pas entrer beaucoup d'argent dans ses coffres. Plusieurs fois déjà, faute de surveillance, le haut-fourneau avait failli s'éteindre. Les barrages du chemin d'eau avaient un urgent besoin d'être réparés. Les livraisons de poêles de fonte et de portes de four à pain étaient en retard. Bref, l'entreprise s'en allait à vau-l'eau.

Mes propres affaires étaient également préoccupantes, car vint trop rapidement à mon goût le moment où je devais de nouveau affronter mon homme fort. Heureusement pour moi, l'oisiveté de Tassé avait compromis sa bonne santé. Il avait grossi et toutes ces heures à se bercer lui avaient ramolli les muscles.

De mon côté, je m'étais sérieusement entraîné afin de ne pas courir le risque d'une autre déconvenue publique. Comme je ne disposais ni de gymnase ni d'haltères, je m'étais remis en forme avec les moyens du bord... D'un coup du tranchant de la main, j'avais fendu des centaines de bûches. J'avais jonglé des heures durant avec des boulets de canon encore tout chauds et je m'étais amusé à soulever des poêles à trois ponts rien qu'avec mon petit doigt.

C'est donc avec une confiance restaurée que je me présentai, au jour dit, près du haut-fourneau où se pressait une foule encore plus considérable que la fois précédente. Tassé était de méchante humeur. Torse nu, il se mit en garde dès qu'il me vit. Les poings levés, il tourna autour de moi en sautillant avant de m'expédier trois ou quatre coups rapides, comme pour me tester. J'esquivai sans difficulté et ripostai par un direct sur le nez qui lui fit pisser le sang. Cela le mit en rogne et nous oubliâmes très rapidement les nobles règles pugilistiques du marquis de Queensberry pour plutôt adopter le style bagarre de chiens de ruelle.

Ainsi, Tassé m'asséna bientôt un coup de poing si formidable que je volai dans les airs et fauchai dans ma chute les cheminées de la forge haute. Je me relevai et, à mon tour, je cognai si fort qu'il fut, lui, projeté contre la base du haut-fourneau, qui se lézarda et dont un grand pan s'effondra. Il se remit sur pied en massant son dos endolori.

— Tu vas en manger une maudite! hurla-t-il.

Et nous recommençâmes à nous colletailler sans que l'un ou l'autre ne prenne l'avantage. La terre tremblait et l'écho des horions sans pitié que nous échangions devait résonner jusqu'à Trois-Rivières. C'est alors que Tassé changea de tactique. Le traître m'agrippa par les cornes et, pour m'immobiliser, me pila sur la queue. Puis, il me saisit à bras-le-corps et me fit goûter à sa célèbre prise de l'ours, laquelle consistait à me serrer la taille avec une telle puissance que je perdis le souffle et entendis mes vertèbres craquer. Je me débattis comme un beau diable. Je le griffai. Je le mordis. Il ne desserra pas son étreinte.

— Tu en as assez ou tu en veux encore? gronda-t-il.

Épuisé, je lui fis signe du chef que je rendais les armes.

Il me relâcha et nous pûmes, chacun de notre côté, panser nos plaies. Lui était en sang, le pantalon et la chemise en lambeaux, le corps couvert d'ecchymoses, un œil pendant hors de son orbite, une oreille mangée et le nez comme une patate écrasée. Moi, j'avais une corne brisée, le poil arraché et la queue basse. Mais ce n'était rien en comparaison des dégâts que nous avions causés au cours de cette bataille épique. Pas un bâtiment n'avait été épargné. Le haut-fourneau, les boutiques de forge, les barrages, la grande maison, la moulerie, les magasins et les soixante maisons du village n'étaient plus que ruine.

Bref, qui fut vraiment victorieux? Bien malin celui qui aurait pu le dire. Toujours est-il que Matthew Bell, acculé à la faillite, dut vendre son domaine[28]. Et moi... Eh bien, moi, je me fis encore engueuler par le grand patron. Où étaient les quatre cent cinquante-deux âmes damnées que je lui avais promises? Que restait-il de l'héritage de cette mademoiselle Poulin? Un vrai gâchis! Décidément, j'étais un incorrigible gaffeur. Je ne représentais pas seulement la honte de la profession, j'en étais la risée, et le maître des enfers, furibond, menaçait ni plus ni moins de me rappeler dans son royaume infraterrestre pour me jeter vivant dans ses marmites bouillonnantes, me passer au laminoir, me hacher menu et me faire cuire sur le gril comme un vulgaire *T-bone,* châtiments réservés habituellement aux réprouvés qui lui tapaient particulièrement sur les nerfs.

Je suppliai qu'on me donne une dernière chance. La der des ders. Le grand Satan fulmina que la pitié n'était pas sa tasse de thé et que les enfers n'étaient pas un centre de réhabilitation pour démons incompétents. Ceci dit, en souvenir de mon père, diable émérite qui avait eu à son actif des âmes damnées de première qualité comme celles de Judas Iscariote, Gengis Khān et Attila, il m'accorda une ultime opportunité de me racheter.

Il avait fait sa petite enquête. Que diable, ce n'était pas les pécheurs qui manquaient dans ce Canada! Pourquoi ne pas revenir aux sources, ne pas chercher du bord de ces forêts immenses du Nord où, depuis peu, s'aventuraient ouvriers du rail, chercheurs d'or et bûcherons? Des clients faciles, souvent prêts à vendre leur âme pour une pépite d'or ou un simple verre de petit caribou...

Mais pardonnez-moi, ma jolie dame... Ces histoires de pugilats et de combats de coqs doivent vous ennuyer. Non? Vous en êtes certaine? Vous avez tout votre temps... Fort bien. De toute manière, j'achève de vous narrer ma triste destinée. Payez-moi un autre café et un de ces beignets à l'érable dont je raffole et je continue...

---

28. Matthew Bell céda les Forges du Saint-Maurice à Henry Stuart en 1846, après avoir régné pendant cinquante-trois ans sur l'entreprise qui, à son apogée, compta quatre cent cinquante-deux ouvriers. Il mourut trois ans plus tard à Trois-Rivières.

VII

VOLE! CANOT, VOLE!

Autour de 1910
Mais je ne peux pas le jurer...

Le Nord. Je me souvenais effectivement de ce vaste territoire de milliers de lacs sans noms et d'épinettes noires sans fin où je m'étais tant amusé aux dépens de ce jésuite, peu après mon arrivée en terre d'Amérique. «Les Pays-d'en-Haut», comme on les appelait autrefois, avaient, hélas, bien changé.

Les libres Indiens, ou plutôt ce qu'il en restait, croupissaient dans des réserves. On avait ouvert des routes et construit des voies ferrées au milieu de ces étendues sauvages dont on disait jadis que même l'œil de Dieu s'était détourné d'elles.

Les sympathiques Hurons, Algonquins, Attikameks, Cris et Micmacs avaient cédé la place à de sacrés lascars, trappeurs, prospecteurs, arpenteurs, mineurs, ouvriers du chemin de fer. Et après une courte évaluation psychosociale, j'en vins à la conclusion que les meilleurs candidats à la damnation éternelle étaient sans aucun doute les hommes de chantier. Et parmi eux, les pires étaient certainement les bûcheux du camp de la Windigo, au nord de La Tuque. Un endroit isolé entre tous. Accessible seulement par la rivière. Il fallait être une force de la nature ou un imbécile, ou les deux, pour accepter de s'isoler là-bas pendant six mois. Travailler d'une étoile à l'autre. Bûcher, sciotter par moins trente degrés et, jour après jour, abattre dix cordes de bois.

Je me joignis donc, *incognito*, à une petite équipe qui, baluchon à l'épaule et godendard ou hache à la main, avait décidé de passer l'hiver dans cet enfer blanc. Quelques-uns étaient de bons Canadiens français qui semblaient sortis tout droit de moules à hosties. Superstitieux, ils avaient pris la précaution, avant de partir «au camp», de se barder de chapelets, de médailles bénites et de scapulaires dissimulés sous leurs «combines» et leurs maillots de corps.

Les autres, au contraire, n'avaient rien de rats d'église. Ils paraissaient plutôt enchantés d'échapper à l'assommante autorité de leurs curés et manifestaient leur soulagement en chantant à tue-tête et en lâchant des chapelets de jurons que l'écho renvoyait de montagne en montagne. L'un de ces joyeux lurons, répondant au nom de Jack, était parmi ceux dont la bonne humeur contagieuse m'intriguait le plus fortement. Je ne comprenais toujours pas comment on pouvait se réjouir à ce point de s'exiler au milieu de nulle part, dans le froid et la solitude, pour un maigre dollar par jour[29]...

Nous étions sur le point d'embarquer dans de grands rabaskas d'écorce quand ledit Jack me fournit partiellement la réponse en se livrant à un petit rituel des plus significatifs.

Il commença par héler ses compagnons qui vinrent se réunir autour de lui. Puis il sortit un gros pot de verre qu'il déboucha avant de déclarer d'un ton sans réplique :

— Bon, les gars, c'est icitte qu'on «met l'bon Dieu en cache». Vous allez m'ôter drette là toutes vos croix, vos médailles, vos images saintes, vos *agnus dei* et autres bébelles religieuses et vous laissez tout ça là-dedans.

Plusieurs regimbèrent à l'idée de se séparer de leurs amulettes et porte-bonheur.

— Mais moi, protestait celui-ci, cette croix, c'est ma blonde qui me l'a mise autour du cou !

---

29. Le salaire moyen d'un bûcheron était de 5 $ à 6 $ par mois plus la nourriture dans les années 1870. Il atteignit 1 $ par jour au début du XXe siècle.

— Et moi, renchérissait celui-là, ma mère m'a bien recommandé de ne jamais me séparer de mon saint Christophe et de mon saint Jude...

— Pas de souci, leur répliqua Jack, je vais bien boucher le pot' et l'enterrer au pied de ce bouleau. Vous retrouverez vos choses au printemps quand nous redescendrons du chantier...

— Mais pourquoi faire ça? s'obstina un novice.

— Parce que, le jeune, où on va, le bon Dieu et le p'tit Jésus ne veulent pas voir c'qui s'passe. Alors là-haut : plus de péchés, plus de prières... Tu bûches, tu manges, tu dors, tu fumes ta pipe, tu joues aux cartes, tu bois un coup en cachette. Personne pour te bâdrer. Si tu sacres, y'a pas de femme pour te dire de te taire devant les enfants. Tu rotes, tu craches, tu te grattes le péteux... Pas un chat pour te chicaner. Tu ronfles, pas de charmante épouse pour te réveiller du coude. La LIBERTÉ, mon gars. Pas vrai, vous autres?

Les plus vieux approuvèrent.

— Ouin ! L'bonheur, à part des poux qui t'achalent en titi.

Et, effectivement, la vie au camp de la Windigo se révéla des plus agréables... Surtout pour moi. Comme j'étais le seul à parler l'anglais pour communiquer avec le jobber[30] et le seul à savoir lire un contrat ainsi qu'à additionner des chiffres, on me confia la tenue des livres. Je passais donc mon temps à marquer et à compter les pitounes qui s'entassaient sur la glace de la rivière et, le soir, discrètement, je sortais ma liste pour y ajouter quelques noms. Car chaque semaine, plusieurs gars mouraient et j'avais de nouvelles âmes à expédier aux enfers comme des lettres à la poste. Celui-ci avait été écrabouillé par un arbre tombé du mauvais bord. Celui-là avait mal arrimé les chaînes de son *sleigh* et toute la charge de billots lui avait roulé sur le corps. Cet autre, après avoir pris froid, avait enfin fini de cracher ses poumons à force de tousser. Le suivant s'était perdu dans le bois et avait été retrouvé tout raide, à moitié dévoré par les loups. La semaine suivante, c'était un type qui

30. Entrepreneur, personne chargée d'exploiter un territoire ou une concession forestière.

avait perdu la boule et qui crevait de peur en prétendant avoir rencontré le Windigo, un géant haut de trente pieds qui avait voulu lui arracher la tête et le bouffer.

Bref, une véritable hécatombe et une aubaine pour moi.

Mais le meilleur restait à venir. En effet, on approchait de Noël. En pensant à la dinde aux atocas de leur maman et à la messe de minuit qu'ils allaient manquer, les hommes devenaient des proies faciles. Ils se mettaient à jongler et à avoir le motton dans la gorge, prêts à tout pour revoir leur parenté et fêter en famille.

Curieusement, Jack était de ceux qui se désolaient le plus et il venait souvent dans mon bureau me confier ses regrets nostalgiques.

— Ah ! Quel dommage que je ne puisse pas voler ! Je ne sais pas ce que je donnerais pour me rendre là-bas, à Sainte-Anne. Oh ! Pas longtemps ! Juste le temps de donner un gros bec sucré à ma blonde, de faire danser ma mère et d'aller à l'église entendre mon père chanter le *Minuit chrétien*...

Je l'écoutais et une idée germa dans mon esprit. Dans la vieille Europe, j'avais déjà participé à des voyages à travers ciel. Plus précisément à une chasse infernale en compagnie d'un impie notoire, un certain sieur Gallery[31]. Je me souvenais de l'ivresse ressentie à galoper sur les nuages de tempête, précédés de chiens d'enfer dont les hurlements glaçaient d'effroi les populations que nous survolions et qui nous voyaient passer comme une nuée d'orage.

Je songeai donc à proposer aux volontaires une chevauchée de ce genre avec comme enjeu éventuel l'abandon de leur âme sous certaines conditions. Le problème, c'était les chevaux. Le chantier n'en manquait pas, mais ces pauvres bêtes étaient si fourbues par leur travail que même en ayant recours à la magie noire, je ne les voyais pas filer à la fine épouvante dans les airs, bondir par-dessus les montagnes et trotter au milieu

31. Selon la légende du Poitou, le sieur Gallery chassait même le dimanche et traqua un cerf jusqu'à l'intérieur d'une église. Il fut condamné à continuer de chasser à travers ciel en compagnie de démons et d'autres damnés.

des aurores boréales. En outre, étant donné mes mésaventures à l'église de la Visitation, je supportais mal l'idée d'exploiter des picouilles déjà malmenées par leurs maîtres.

Il me vint alors à l'esprit que nous disposions d'un autre moyen de transport : des canots qui dormaient à l'écart du chantier, bien abrités au milieu d'une clairière en attendant la fonte des glaces et le retour du printemps. Faire voler une de ces embarcations légères comme des plumes ne devait pas être bien compliqué.

À la veille de Noël, je décidai donc de passer aux actes.

Jack était assis, tout seul, à une table de réfectoire. Il avait bu plusieurs gobelets de baboche pour noyer son vague à l'âme et versait des pleurs d'ivrogne.

Je m'installai à ses côtés et lui murmurai :

— Que dirais-tu si je te procurais le moyen, ni vu ni connu, d'être chez toi ce soir en quelques heures et de revenir demain matin avant que le chantier ne s'éveille ?

— Je donnerais mon âme à celui qui réaliserait un tel miracle ! beugla Jack en se mouchant entre ses doigts.

— Voilà qui est faisable, lui répondis-je en lui flanquant une magistrale tape dans le dos. Sois à minuit dans la clairière où se trouvent les canots. Parles-en à tous ceux qui seraient intéressés.

— Mais tu te prends pour qui ? s'étonna quand même ma future victime pas si innocente que ça.

— Un bon diable qui a pitié de toi et de tes semblables.

Peu avant minuit, j'étais déjà fin prêt. J'avais tiré un des canots sur la neige et j'attendais tranquillement mon Jack et ceux qui seraient tentés, comme lui, par l'aventure.

Personne.

Puis une ombre furtive se faufilant entre les arbres.

Puis d'autres silhouettes et une voix qui chuchote.

— C'est nous.

— Qui nous ?

— Jack et ses chums...

— Et vous êtes combien ?

— Treize.

— Mon chiffre chanceux!

Un à un, ma bande de larrons s'approchèrent et, dans la lumière blafarde de la lune, je pus les examiner pendant que, sur mon ordre, ils embarquaient dans le canot. C'était un très joli lot de mécréants tout à fait dignes de griller dans les feux de l'enfer.

Chacun avait apporté son aviron et s'était vêtu chaudement: tuques de laine, mackinaws et capots serrés par des ceintures fléchées, mitaines et gants de peau d'orignal. Jack, en bon boss des bécosses, avait pris place à la pince arrière du rabaska, prêt à gouverner.

— Qu'est-ce qu'on attend?

— Moi, je dis qu'il y a forcément une crosse, ronchonna un sceptique en me dévisageant d'un air soupçonneux. Et puis d'abord, t'es qui au fond, toi? On l'sait pas!

Je les calmai.

— Qui je suis? Vous vous en doutez bien... Seulement voilà, il y a un certain nombre de règles à respecter impérativement avant que nous prenions notre envol.

— Lesquelles?

— Premièrement, nous devrons être de retour avant le lever du soleil. Deuxièmement, il ne faudra, sous aucun prétexte, survoler un monument surmonté d'une croix et, troisièmement, à aucun prix vous ne devrez prononcer le nom de Dieu ni même l'invoquer en pensée!

— Sinon?

— Sinon, l'enchantement sera rompu. Le canot s'écrasera. La terre s'ouvrira et vous serez précipités dans ses entrailles, damnés à jamais. Vous avez tous saisi?

Des voix agacées s'élevèrent:

— OK! OK! Envoye, envoye!

Je comprenais leur empressement, mais il y avait quand même des formes à honorer. Pour commencer: reprendre mon apparence diabolique, déployer toutes grandes mes ailes de chauve-souris et charger sur mon dos ce mautadit canot avec ses treize passagers dont le moins costaud devait peser dans les deux cent cinquante livres. Ensuite, prononcer la formule magique avec toute la solennité requise:

— Acabri ! Acabra ! Acabram ! Grand Satan, roi des enfers, fais-nous voler par-dessus les rivières et les montagnes. Vole ! Canot, vole !

Et le canot vola. D'abord en glissant lentement juste à quelques pieds de la cime des épinettes, car j'avais beau battre vigoureusement des ailes, la lourde embarcation refusait de prendre de l'altitude et de la vitesse. Ceci jusqu'à ce que Jack, toujours debout à l'arrière, crie à ses camarades :

— Allez, les gars ! Nagez ! Nagez ! Poussez sur l'aviron !

Les rameurs hésitèrent, puis commencèrent à pagayer apparemment dans le vide. Le canot, aussitôt, s'élança vers la nue et se mit à filer à une vitesse vertigineuse qui devait, sans mentir, nous permettre de parcourir dix milles à chaque coup d'aviron. Jack, étourdi, semblait éprouver quelques difficultés à maîtriser le canot, qui fit un écart et tangua dangereusement.

— Tu vas nous tuer, sacramouille ! s'écria un des pagayeurs.

Et le canot piqua effectivement vers le sol. Jack eut toutes les misères du monde à le stabiliser :

— Ferme ta yeule, Ti-Rouge ! hurla-t-il. C'est toi qui vas nous faire damner si tu retiens pas ta langue !

Sous le canot, le paysage défilait si vite qu'au bout d'à peine dix minutes, nous aperçûmes déjà les lueurs des premiers villages de la vallée du Saint-Laurent.

Jack redoubla de précautions et, de son grand aviron qui servait de gouvernail, il évita si bien clochers, croix de chemin et croix de cimetières que nous atterrîmes en douceur à Sainte-Anne-de-la-Pérade, la paroisse d'où venaient la plupart de mes canotiers lesquels, sitôt à terre, s'égaillèrent dans toutes les directions, trop pressés d'aller festoyer.

Pour ma peine, je n'avais pas gagné grand-chose. Mais j'espérais bien me reprendre au retour. Les mains en porte-voix, je rappelai donc à mes bûcherons les termes de l'entente, question d'éviter les vices de procédures.

— N'oubliez pas : vous devez être là avant les premiers rayons du soleil !

Jack répondit pour toute la gang en agitant joyeusement sa tuque au-dessus de sa tête.

— T'en fais pas, mon Grippette, on sera là comme un seul homme!

Je n'aimais pas Noël. Je ne l'aime toujours pas. Toute cette joie contagieuse, tous ces actes de dévotion, toutes ces décorations, tous ces cadeaux qui raniment les souvenirs d'enfance, toutes ces embrassades, toutes ces larmes qui purifient le cœur et ces cantiques qui élèvent l'âme : c'est très mauvais pour les affaires d'en bas.

Je me tins donc assez loin du village en attendant que reviennent mes treize fêtards. La neige craquait sous mes pas. De sombres nuées éclipsaient la lumière bleutée de la lune et le vent s'éleva, emplissant les bois aux alentours de rumeurs inquiétantes qui, en s'amplifiant, se changèrent en une sorte de mugissement de colère au travers duquel j'entendis cet avertissement :

— Grippette... C'est ta dernière chance... Si tu rates ton coup et ne livres pas cette fournée de voyous... gare à tes fesses poilues!

Je commençai à être nerveux. D'autant plus que, peu avant l'aube, mes gaillards réapparurent un à un et, tout guillerets, rembarquèrent dans le canot sans le moindre retard... Je fis un rapide décompte et repris espoir : il en manquait un!

— Qui manque à l'appel? demandais-je en me frottant les mains d'excitation.

— C'est Ti-Rouge, comme d'habitude, il n'est pas de la place. Il a dû monter à Saint-Prosper.

Malheureusement, à l'Orient, le ciel commençait à peine à rosir quand le dénommé Ti-Rouge se présenta, marchant de travers.

— Salut, la compagnie et joyeux Nouël! claironna-t-il.

Il était éméché et faillit tomber à la renverse en s'asseyant à son banc. J'étais déçu, mais je me raccrochais à l'idée qu'avec un véritable soulon dans le canot, les choses finiraient bien par tourner à mon avantage... Je prononçai donc l'incantation : d'un ton ferme : «Acabri! Acabra! Acabram...»

Je n'eus plus qu'à déployer mes ailes et le grand canot redécolla en douceur.

Cette fois, les rameurs, sans hésiter, plongèrent leurs avirons dans les airs et se mirent à pagayer en cadence avec une parfaite coordination. Si bien qu'en moins de temps qu'il n'en faut pour le dire, notre rabaska grimpa à au moins mille pieds et piqua droit vers le nord à une vitesse à couper le souffle, laissant derrière lui une longue traînée de flammes.

Tout était trop calme à mon goût. Je ne pouvais pas croire que parmi cette bande d'impies il n'y en aurait pas un seul pour violer les termes du pacte, précipitant du même coup la chute de tous les autres. Et pourtant... Les treize voyageurs redoublaient d'énergie et, pour se donner du courage, ils entonnèrent même en chœur un vieil air de canotiers :

Mon père n'avait fille que moi
Canot d'écorce qui va voler.
Et dessus la mer, il m'envoie.
Canot d'écorce qui vole, qui vole
Canot d'écorce qui va voler...

Avouez que je jouais de malchance. Toutefois, comme l'astre de la nuit était caché et le ciel nuageux, se diriger dans les ténèbres sans le secours des étoiles n'était pas aussi commode qu'à l'aller. Bref, Jack avait beau diriger habilement le canot, vingt fois il frôla la catastrophe mais, à mon grand désappointement, à chaque occasion il redressa la situation *in extremis* en barrant brusquement tantôt à droite, tantôt à gauche pour éviter un clocher ou un calvaire aperçu au dernier moment à la faveur d'une trouée dans les nuages ou d'un bref rayon de lune.

Reste que dans ces conditions, le canot zigzaguait sans arrêt et Ti-Rouge, qui non seulement avait pris un coup solide, mais s'était aussi bourré de tourtière et de ragoût de pattes, commença à se plaindre en se tenant le ventre :

— Oooooooh ! Torpinouche, je sens que je vais être malaaaade... Est-ce qu'on arrive betôt ? Bazouelle !

J'étais plus que jamais sur le qui-vive. À chaque instant, je m'attendais à entendre le juron fatal. Espoir déçu : à peine ces petits sacres inoffensifs provoquaient-ils de légères turbulences ou des écarts que Jack corrigeait sans trop de peine tout en ordonnant d'une voix exaspérée :

— Faites-moi taire cet imbécile ! Bout de crime !

Le compagnon de banc de Ti-Rouge lâcha aussitôt son aviron et s'efforça de bâillonner l'ivrogne. Mais celui-ci n'était pas du genre à se laisser museler. Il se débattit, réussit à se libérer et fit tournoyer son propre aviron au-dessus de sa tête, prêt à inonder l'équipage tout entier d'une pluie de jurons. Cependant, il ne parvint qu'à hoqueter des bribes de gros mots :

— Mes host... ! Touchez-moi pas ! Sacr... ou je vous cri... mon poing sur la yeule... Tab...

J'étais sur des charbons ardents. Ce bougre-là allait-il enfin lâcher un beau blasphème bien audible ? En attendant, Jack fulminait :

— Si vous n'arrivez pas à lui fermer la trappe, balancez-le par-dessus bord.

J'en avais moi-même ras le bol de ce taré incapable de sacrer comme un homme ! Alors, je protestai à mon tour :

— Oui, il a raison. Ce n'est pas supportable. Ligotez-le ! Assommez-le ! Mais faites-le tenir tranquille ! Je n'en peux plus de l'entendre avec son articulation molle. Puis, avec tous ces soubresauts que vous faites subir à ce maudit canot, j'ai le dos en marmelade... NOM DE DIEU !

Le canot aussitôt se cabra et je me sentis comme happé par le vide. Je descendais en vrille et avec une telle violence que j'eus l'impression que mes ailes allaient être arrachées. *Ça y est*, pensais-je, *il y en a un qui a dû lâcher un sacre...* Mais alors, comment se faisait-il que c'était moi qui tombais, tandis que le canot, là-haut, continuait à flotter comme si de rien n'était...

C'est alors que je compris avec horreur ce qui venait de se passer. Le deuxième commandement avait bel et bien été violé et Dieu avait été invoqué en vain. Sauf que le coupable, c'était MOI ! Ma chute fut vertigineuse et, quand je touchai le sol, nouvel Icare, je m'enfonçai tête première dans six pieds de neige. Je me relevai douloureusement. Je n'étais que plaies et bosses. Le poil couvert de glace. Une aile déchirée...

Je levai les yeux. Le ciel s'était dégagé et, devant le disque immense de la lune rayonnant au milieu d'un tapis de millions d'étoiles, je vis la silhouette du canot qui poursuivait seul sa course au rythme des avirons et d'une nouvelle chanson :

V'là l'bon vent ! V'là l'joli vent !
Ma mie m'appelle !
V'là l'bon vent ! V'là l'joli vent !
Ma mie m'attend !

VIII

QUAND TOUT VA AU DIABLE...

Je me demande si la suite de mon histoire vaut la peine d'être contée. Vous y tenez vraiment? C'est le récit d'une longue descente aux enfers au propre comme au figuré, si vous me permettez cette expression. Satan me releva de toutes mes fonctions officielles et c'est ainsi que, peu à peu, au Québec, on cessa de croire en moi.

Remarquez, c'était inévitable, puisqu'on cessa même de croire en Dieu. Les églises furent désertées et peu à peu tombèrent en ruine. Les curés défroquèrent et les bonnes sœurs laissèrent partir au vent leurs cornettes. Car, comme disait un de mes collègues, attaquez-vous au Diable et ce sont les piliers du ciel que vous ébranlez. Autrement dit, toute mon aventure dans les Amériques se réduisait à un match nul entre le Bien et le Mal. Et maintenant que je ne suis plus dans le paysage, je devine que le bon Dieu doit s'ennuyer pas mal sur son nuage en ce moment...

Plus personne, de nos jours, n'a peur de l'enfer. L'enfer, les gens le voient quotidiennement à la télévision : les camps de la mort, la bombe atomique sur Hiroshima, les enfants mourant de faim en Afrique, le napalm sur les villages vietnamiens, les ravages du sida, les tours du World Trade Center qui s'effondrent, les terroristes qui se font sauter au milieu des foules au Moyen-Orient... À côté de toutes ces horreurs exposées jour après jour, de quoi aurions-nous l'air, nous, les diables de l'antique tradition, avec nos marmites de poix bouillante, nos grils, nos fourches et nos instruments de torture moyenâgeux? Non, le patron a bien fait de fermer boutique.

Depuis, le grand Satan, lui, s'est recyclé dans la haute finance et l'industrie pétrolière. D'autres démons ont préféré fonder des bandes de motards, des groupes de mercenaires professionnels ou des centres de recherche en manipulation génétique.

Moi, pour passer le temps, je me suis contenté de petits boulots. J'ai tenu un *pawnshop* à Montréal. J'ai vendu de l'herbe à la porte des écoles. J'ai été portier de nuit dans un club de *strip-teaseuses.* J'ai arnaqué les vieilles dames sur des sites de rencontres Internet. J'ai monté de minables escroqueries de style «ventes pyramidales». J'ai fait le trafic de faux médicaments pour faire maigrir, pour faire dormir, pour redonner de la vigueur aux vieux messieurs, pour faire oublier aux épouses insatisfaites le vide de leur existence...

Mais je me suis lassé de tout ça. L'éternité, c'est long pour un démon qui n'a plus de but dans la vie. Résultat: j'ai fini en prison. Je me suis mis à boire et à me bourrer moi-même de pilules. J'ai perdu mes crocs, puis mes cornes, mes sabots et tout mon poil. Je ne suis plus que l'ombre de moi-même...

Et voilà où j'en suis rendu: à me geler devant une bouche de métro, la main tendue. Au fait, ma brave demoiselle, vous n'auriez pas une pièce pour un pauvre diable?

*

Pauvre petit Grippette! J'étais touchée par son long récit et, après avoir réglé la note du restaurant où je l'avais invité, je décidai de lui offrir un billet de cent dollars. Il fit des yeux ronds devant cette somme qui ne représentait rien pour moi. C'est alors que j'ai rabattu mon capuchon fourré et ôté mes verres teintés.

— Tu ne me reconnais pas? J'ai changé à ce point?

Je me suis moquée gentiment de lui :

— Évidemment, un manteau de vison, un foulard Hermès et un sac Vuitton, ça vous change une femme.

Il m'a dévisagée un peu plus attentivement en plissant ses yeux fatigués et s'est mis à trembler comme un vieil alcoolique en crise :

— Ce n'est pas toi? Je rêve...

— Oui, c'est bien moi : Marie-Josephte. La Corriveau. Moi aussi, j'en aurais long à raconter depuis que tu m'as généreusement ramenée à la vie. Cher Grippette... Pendant que tu perdais ton temps avec tes canots volants, moi, j'ai décidé de changer le monde. En servant la cause des femmes. Ras le bol d'être toujours accusées de tous les péchés du monde. Ras le bol d'être les boniches et les putains de l'histoire humaine. Je suis devenue féministe, suffragette. J'ai sorti les femmes de leur cuisine. Je leur ai dit d'envoyer paître les curés, Dieu, le Diable et le reste... Comme toi, j'ai exercé trente-six métiers. J'ai étudié. J'ai été avocate, aviatrice, médecin. J'ai lutté pour le droit à la pilule contraceptive et à l'avortement. J'ai traversé le pays en chevauchant une Harley Davidson. J'ai été créatrice de mode, question de pousser les femmes à retrouver de l'estime pour elles-mêmes au lieu de se faner au coin du feu auprès de leurs maris bedonnants. Je leur ai donné le goût de se maquiller et de s'acheter des bijoux. Je leur ai conseillé de raccourcir leurs jupes et d'approfondir leurs décolletés afin de mener les hommes par le bout du nez. Je les ai poussées à porter le pantalon, à refuser les chaînes du mariage et à cesser de pondre des trâlées d'enfants pour plutôt se payer du bon temps. Je leur ai dit : « Allez à l'université, devenez chefs d'entreprises, gagnez un maximum d'argent pour acquérir votre indépendance. » Et là, mon vieux, on a réussi! On est partout. Bientôt, on va diriger le monde. En ce moment, je fais carrière dans la chanson. Je chante à Vegas tous les soirs. La foule m'adore, m'acclame, me vénère comme une déesse en bas résille et veste à paillettes. Encore quelques années et, tu verras, je détrônerai définitivement Dieu et chasserai ce

qui reste de diables dans les enfers. Si tu veux être de la partie, Grippette, tu n'as qu'à venir avec moi. J'ai justement besoin d'un agent. Ensemble, on va faire un malheur, comme autrefois. Alors, dis oui et j'appelle ma limousine.

Devinez quoi : il a accepté. Bonnes gens, tenez bien vos tuques, parce que ça va brasser en diable !

Table des matières

DANIEL MATIVAT

Né le 7 janvier 1944 à Paris, Daniel Mativat a étudié à l'école normale et à la Sorbonne avant d'obtenir une maîtrise ès arts à l'Université du Québec à Montréal et un doctorat en lettres à l'Université de Sherbrooke (voir MATIVAT, Daniel. *Le métier d'écrivain au Québec (1840-1900)*, Montréal, Triptyque, 1996). Il a enseigné le français pendant plus de 30 ans tout en écrivant une cinquantaine de romans pour la jeunesse. Il a été trois fois finaliste du prix Christie, deux fois du Prix du Gouverneur général du Canada et une fois du prix TD. L'auteur habite aujourd'hui Laval et est l'heureux grand-père de deux petites filles, Clarisse et Adèle.

Collection Conquêtes

1. **Aller retour,** de Yves Beauchesne et David Schinkel. Prix Cécile-Rouleau de l'ACELF 1986, prix Alvine-Bélisle 1987
2. **La vie est une bande dessinée,** nouvelles de Denis Côté
3. **La cavernale,** de Marie-Andrée Warnant-Côté
4. **Un été sur le Richelieu,** de Robert Soulières
5. **L'anneau du Guépard,** nouvelles de Yves Beauchesne et David Schinkel
6. **Ciel d'Afrique et pattes de gazelle,** de Robert Soulières
7. **L'affaire Léandre et autres nouvelles policières,** de Denis Côté, Paul de Grosbois, Réjean Plamondon, Daniel Sernine et Robert Soulières
8. **Flash sur un destin,** de Marie-Andrée Clermont en collaboration avec un groupe d'élèves de l'école Antoine-Brossard
9. **Casse-tête chinois,** de Robert Soulières. Prix du Conseil des Arts 1985
10. **Châteaux de sable,** de Cécile Gagnon
11. **Jour blanc,** de Marie-Andrée Clermont et Frances Morgan
12. **Le visiteur du soir,** de Robert Soulières. Prix Alvine-Bélisle 1981
14. **Le don,** de Yves Beauchesne et David Schinkel, prix du Gouverneur général 1987, Certificat d'honneur de l'Union internationale pour les livres pour la jeunesse (IBBY)
15. **Le secret de l'île Beausoleil,** de Daniel Marchildon. Prix Cécile-Rouleau de l'ACELF 1989
16. **Laurence,** de Yves E. Arnau
17. **Gudrid, la voyageuse,** de Susanne Julien
18. **Zoé entre deux eaux,** de Claire Daignault
19. **Enfants de la Rébellion,** de Susanne Julien. Prix Cécile-Rouleau de l'ACELF 1988
20. **Comme un lièvre pris au piège,** de Donald Alarie
21. **Merveilles au pays d'Alice,** de Clément Fontaine
22. **Les voiles de l'aventure,** de André Vandal
24. **La bouteille vide,** de Daniel Laverdure
25. **La vie en roux de Rémi Rioux,** de Claire Daignault
26. **Ève Dupuis, 16 ans ½,** de Josiane Héroux
27. **Pelouses blues,** de Roger Poupart
29. **Drôle d'Halloween,** nouvelles de Clément Fontaine
30. **Du jambon d'hippopotame,** de Jean-François Somain
31. **Drames de cœur pour un 2 de pique,** de Nando Michaud
32. **Meurtre à distance,** de Susanne Julien
33. **Le cadeau,** de Daniel Laverdure

34. **Double vie,** de Claire Daignault
35. **Un si bel enfer,** de Louis Émond
36. **Je viens du futur,** nouvelles de Denis Côté
37. **Le souffle du poème,** une anthologie de poètes du Noroît présentée par Hélène Dorion
38. **Le secret le mieux gardé,** de Jean-François Somain
39. **Le cercle violet,** de Daniel Sernine.
Prix du Conseil des Arts 1984
40. **Le 2 de pique met le paquet,** de Nando Michaud
41. **Le silence des maux,** de Marie-Andrée Clermont en collaboration avec un groupe d'élèves de 5e secondaire de l'école Antoine-Brossard. Mention spéciale de l'Office des communications sociales 1995
42. **Un été western,** de Roger Poupart
43. **De Villon à Vigneault,** anthologie de poésie présentée par Louise Blouin
44. **La Guéguenille,** nouvelles de Louis Émond
45. **L'invité du hasard,** de Claire Daignault
46. **La cavernale, dix ans après,** de Marie-Andrée Warnant-Côté
47. **Le 2 de pique perd la carte,** de Nando Michaud
48. **Arianne, mère porteuse,** de Michel Lavoie
49. **La traversée de la nuit,** de Jean-François Somain
50. **Voyages dans l'ombre,** nouvelles de André Lebugle
51. **Trois séjours en sombres territoires,** nouvelles de Louis Émond
52. **L'Ankou ou l'ouvrier de la mort,** de Daniel Mativat
53. **Mon amie d'en France,** de Nando Michaud
54. **Tout commença par la mort d'un chat,** de Claire Daignault
55. **Les soirs de dérive,** de Michel Lavoie
56. **La Pénombre Jaune,** de Denis Côté
57. **Une voix troublante,** de Susanne Julien
58. **Treize pas vers l'inconnu,** nouvelles fantastiques de Stanley Péan
60. **Le fantôme de ma mère,** de Margaret Buffie, traduit de l'anglais par Martine Gagnon
61. **Clair-de-lune,** de Michael Carroll, traduit de l'anglais par Michelle Tisseyre
62. **C'est promis! Inch'Allah!** de Jacques Plante, traduit en italien
63. **Entre voisins,** collectif de nouvelles de l'AEQJ
64. **Les Zéros du Viêt-nan,** de Simon Foster
65. **Couleurs troubles,** de Lesley Choyce, traduit de l'anglais par Brigitte Fréger
66. **Le cri du grand corbeau,** de Louise-Michelle Sauriol

67. **Lettre de Chine,** de Guy Dessureault. Finaliste au Prix du Gouverneur général 1998, traduit en italien
68. **Terreur sur la Windigo,** de Daniel Mativat. Finaliste au Prix du Gouverneur général 1998
69. **Peurs sauvages,** collectif de nouvelles de l'AEQJ
70. **Les citadelles du vertige,** de Jean-Michel Schembré. Prix M. Christie 1999
71. **Wlasta,** de Laurent Chabin
72. **Adieu la ferme, bonjour l'Amazonie,** de Frank O'Keeffe, traduit de l'anglais par Hélène Filion
73. **Le pari des Maple Leafs,** de Daniel Marchildon. Sélection Communication-Jeunesse
74. **La boîte de Pandore,** de Danielle Simd
75. **Le charnier de l'Anse-aux-Esprits,** de Claudine Vézina
76. **L'homme au chat,** de Guy Dessureault. Finaliste au Prix du Gouverneur général 2000 et sélection Communication-Jeunesse
77. **La Gaillarde,** de Denis et Simon Robitaille
78. **Ni vous sans moi, ni moi sans vous: la fabuleuse histoire de Tristan et Iseut,** de Daniel Mativat. Finaliste au Prix du Livre M. Christie 2000 et sélection Communication-Jeunesse
79. **Le vol des chimères: sur la route du Cathay,** de Josée Ouimet. Sélection Communication-Jeunesse
80. **Poney,** de Guy Dessureault. Sélection Communication-Jeunesse
81. **Siegfried ou L'or maudit des dieux,** de Daniel Mativat. Sélection Communication-Jeunesse
82. **Le souffle des ombres,** de Angèle Delaunois. Sélection Communication-Jeunesse
83. **Le noir passage,** de Jean-Michel Schembré
84. **Le pouvoir d'Émeraude,** de Danielle Simard. Sélection Communication-Jeunesse
85. **Les chats du parc Yengo,** de Louise Simard. Sélection Communication-Jeunesse
86. **Les mirages de l'aube,** de Josée Ouimet. Sélection Communication-Jeunesse
87. **Petites malices et grosses bêtises,** collectif de nouvelles de l'AEQJ
88. **Les caves de Burton Hills,** de Guy Dessureault
89. **Sarah-Jeanne,** de Danielle Rochette. Sélection Communication-Jeunesse
90. **Le chevalier des Arbres,** de Laurent Grimon. Sélection Communication-Jeunesse
91. **Au sud du Rio Grande,** d'Annie Vintze. Sélection Communication-Jeunesse
92. **Le choc des rêves,** de Josée Ouimet. Sélection Communication-Jeunesse

93. **Les pumas,** de Louise Simard
94. **Mon père, un roc!** de Claire Daignault
95. **Les rescapés de la taïga,** de Fabien Nadeau
96. **Bec-de-Rat,** de David Brodeur
97. **Les temps fourbes,** de Josée Ouimet
98. **Soledad du soleil,** de Angèle Delaunois.
Sélection Communication-Jeunesse
99. **Une dette de sang,** de Daniel Mativat
100. **Le silence d'Enrique - tome 2,** de Annie Vintze
101. **Le labyrinthe de verre,** de David Brodeur
102. **Evelyne en pantalon,** de Marie-Josée Soucy
103. **La porte de l'enfer,** de Daniel Mativat.
Sélection Communication-Jeunesse
104. **Des yeux de feu,** de Michel Lavoie
105. **La quête de Perce-Neige,** de Michel Châteauneuf. Finaliste au prix Cécile Gagnon 2006

Finaliste au Prix littéraire Gérald-Godin 2006

Finaliste au Prix littéraire Clément-Morin 2006

Sélection officielle de Bibliothèques et Archives Canada
106. **L'appel du faucon,** de Sylviane Thibault
107. **Maximilien Legrand, détective privé,** de Lyne Vanier
108. **Sous le carillon,** de Michel Lavoie
109. **Nuits rouges,** de Daniel Mativat. Sélection Communication-Jeunesse
110. **Émile Nelligan ou l'abîme du rêve,** de Daniel Mativat. Sélection Communication-Jeunesse
111. **Quand vous lirez ce mot,** de Raymonde Painchaud. Sélection Communication-Jeunesse
112. **Un sirop au goût amer - tome 3,** d'Annie Vintze
113. **Adeline, porteuse de l'améthyste,** d'Annie Perreault
114. **Péril à Dutch Harbor,** de Sylviane Thibault.
Sélection Communication-Jeunesse
115. **Les anges cassés,** de Lyne Vanier. Prix littéraire Ville de Québec 2008 et sélection Communication-Jeunesse
116. **... et je jouerai de la guitare,** de Hélène de Blois
117. **Héronia,** de Yves Steinmetz
118. **Les oubliettes de *La villa des Brumes*,** de Lyne Vanier. Sélection Communication-Jeunesse
119. **Parole de Camille,** de Valérie Banville
120. **La première pierre,** de Don Aker, traduit de l'anglais par Marie-Andrée Clermont. Sélection Communication-Jeunesse

121. **Trois séjours en sombres territoires,** nouvelles de Louis Émond. Sélection Communication-Jeunesse

122. **Un si bel enfer,** de Louis Émond

123. **Le Cercle de Khaleb,** de Daniel Sernine. Prix 12/17 Brive-Montréal (1992) et Grand Prix de la science-fiction et du fantastique québécois (1992)

124. **L'Arc-en-Cercle,** de Daniel Sernine. Grand Prix de la science-fiction et du fantastique québécois (1996)

125. **La chamane de Bois-Rouge,** de Yves Steinmetz. Finaliste au Prix du Gouverneur général 2010

126. **Le Pays des Dunes,** de Yves Steinmetz

127. **Liaisons dangereuses.com,** de Lyne Vanier. Finaliste au Prix littéraire Ville de Québec 2011, sélection Communication-Jeunesse

128. **L'après Alma,** de Myra-Belle Béala De Guise

129. **La malédiction du Grand Carcajou,** de Yves Steinmetz

130. **24 heures d'angoisse,** de Johanne Dion

131. **Le bal de Béa gros bras,** de Marie-Josée L'Hérault

132. **L'Empire des sphères,** de Yves Steinmetz

133. **Les exploits d'un héros réticent (mais extrêmement séduisant),** de Maureen Fergus, traduit de l'anglais par Marie-Andrée Clermont, sélection Communication-Jeunesse

134. **Le yoga, c'est pas zen,** de Isabelle Gaul

135. **Les échos brûlés,** de Lyne Vanier. Finaliste au Prix jeunesse des univers parallèles 2012

136. **Gudrid la Viking,** de Susanne Julien

137. **Meurtre à distance,** de Susanne Julien

138. **La cité de verre,** de Yves Steinmetz

139. **Match parfait,** de Carl Dubé, sélection Communication-Jeunesse

140. **L'échange,** de Isabelle Gaul, sélection Communication-Jeunesse

141. **Le frère de verre,** de Lyne Vanier. Finaliste au Prix littéraire Ville de Québec 2013, sélection Communication-Jeunesse

142. **Mirage,** de Jacinthe Trépanier

143. **Le poisson d'or,** de Daniel Mativat

144. **Poudre aux yeux,** d'Isabelle Gaul

Ce livre a été imprimé
sur du papier enviro 100 % recyclé.

Empreinte écologique réduite de :
Arbres : 2
Déchets solides : 110 kg
Eau : 8 939 L
Émissions atmosphériques : 359 kg

Ensemble, tournons la page sur le gaspillage.